Nuits d'Afrique

Du même auteur

Le chant des bélugas, roman, Éditions Vents d'Ouest, 1995.

Alain Olivier

Nuits d'Afrique

roman

La publication de ce livre a été rendue possible grâce à l'aide financière du Conseil des Arts du Canada, du ministère des Communications du Canada et du ministère de la Culture et des Communications du Québec.

1781, rue Saint-Hubert
Montréal (Québec)
H2L 3Z1
Téléphone : 514.525.21.70
Télécopieur : 514.525.75.37

et

Alain Olivier

Données de catalogage avant publication

Olivier, Alain, 1963-

Nuits d'Afrique, roman

ISBN 2 89261-197-0

I. Titre

PS8579.L358N84 1997 C843'.54 C97-940550-5
PS9579.L358N84 1997
PQ3919.2.O44N84 1997

Dépôt légal : 2e trimestre 1997
Bibliothèque nationale du Canada
Bibliothèque nationale du Québec
ISBN 2-89261-197-0

Distribution en librairie :
Dimedia inc.
539, boulevard Lebeau
Ville Saint-Laurent (Québec)
H4N 1S2
Téléphone : 514.336.39.41
Télécopieur : 514.331.39.16

Conception typographique et mise en pages : Édiscript enr.
Maquette de la couverture : Zirval Design
Photographie de la couverture : Alain Olivier

À ma mère, naturellement.

Sois à l'écoute,
disait-on dans la vieille Afrique,
tout est parole,
tout cherche à nous communiquer une connaissance.

AMADOU HAMPÂTÉ BÂ

Chapitre premier

Le grand fleuve

Une pirogue avance au fil de l'eau. Elle glisse sur l'onde en silence. Un vol d'oiseaux s'élève à son approche, passe en trombe au-dessus de ma tête, puis disparaît à l'horizon. Le piroguier se tient debout, immobile, dans la lueur apaisée du jour qui s'attarde. Il contemple le fleuve au long cours.

C'est un grand fleuve d'or et de lumière. Je le crois habité par des créatures étranges, ni tout à fait humaines ni totalement inhumaines, au corps souple comme l'osier, mais léger comme un voile de brume ; ce sont des esprits bienveillants, qui empruntent parfois la voix d'un père ou d'une mère disparus, mais ne se montrent jamais en pleine lumière, comme s'ils craignaient d'affronter l'éclat triomphant du soleil d'Afrique. Ils ne sortent des eaux qu'à la nuit tombée ; ils se rassemblent sur la grève, puis s'acheminent vers le village d'un pas nonchalant, main dans la main, en discutant avec animation. Arrivés au seuil de la maison qui a abrité les songes de leur première enfance, ils se recueillent un moment. Ils s'emparent ensuite de petits bancs de bois traînant au milieu de la cour et vont s'asseoir autour du grand plat qui les attend sur le pas de la porte. Ils se lavent la main droite dans une calebasse remplie d'eau et entament le repas avec avidité ; ils mangent tous ensemble, silencieux, à même le grand plat posé sur le sol. Quand ils sont enfin rassasiés, ils ont une pensée pour la cuisinière, heureux qu'il se trouve encore quelqu'un dans la famille pour s'occuper d'eux. Ils se nettoient la main à tour de rôle et se lèvent sans hâte. Ils s'assurent que tous les enfants se portent bien, que rien ne vient troubler leur sommeil, puis s'en vont comme ils sont venus, ne laissant aucun vestige de leur passage dans le monde sensible. Je me reconnais dans ces êtres fabuleux : leurs gestes sont pareils aux miens ; ils ressentent de petites joies dont j'éprouve parfois l'ivresse et partagent avec moi une même tristesse. Il me semble à l'instant pressentir leur présence au fond de l'eau. Ils attendent la tombée de la nuit avant de se manifester ; mais le jour tarde à céder sa place et s'étire, languissant.

Je reporte mon attention sur le piroguier. Il ne bouge toujours pas, les yeux rivés sur le fleuve, comme si le temps n'avait pas d'importance ou alors en avait trop pour qu'on le laisse filer sans s'y attarder un peu. Il tient à la main une grande perche qui trace un long sillon derrière l'embarcation. Tout en lui respire la tranquillité ; pourtant, on devine à son corps vigoureux que cet homme possède une énergie peu commune. Le voilà d'ailleurs qui esquisse un mouvement : il ramène la perche vers lui et l'enfonce dans l'onde avec lenteur. Je comprends qu'elle a touché le fond quand je vois ses muscles saillir : il rassemble ses forces et appuie de tout son poids sur l'instrument. La pirogue s'élance sur quelques mètres, puis ralentit, jusqu'à s'immobiliser presque complètement. L'eau a rejeté la perche à la surface ; le piroguier la retient d'un geste paisible. Son torse bombé ruisselle de sueur ; j'essuie du revers de la main mon front immobile. Je vois encore le piroguier se détendre, puis porter de nouveau son regard au loin, sur le fleuve. On dirait que rien ne l'agite, qu'aucune inquiétude ne le tourmente.

Près de moi, un homme vient s'appuyer sur le garde-corps du traversier. Il est habillé d'un grand pagne bariolé. C'est une longue étoffe sans couture qui s'enroule autour de ses hanches, lui couvre le dos, glisse sur son épaule et retombe sur sa poitrine où il la retient avec sa main gauche. Ce vêtement rehausse sa prestance naturelle, nullement affectée par le port de sandales de plastique. Ses cheveux sont grisonnants, mais poussent si dru sur le sommet du crâne qu'on en vient presque à oublier la calvitie naissante qui dégage son front. Son visage crevassé de rides ne laisse toutefois planer aucun doute sur son âge avancé.

— Bienvenue, me dit-il simplement.

Je lui souris timidement.

— Merci.

Nous regardons le fleuve, longuement, puis la rive aux couleurs d'ocre et de roux. Des enfants jouent au ballon sur le sable ; d'autres avancent à cloche-pied en se tenant par la main. Leurs rires coulent sur les eaux calmes. Non loin de là, une jeune fille promène son petit frère sur son dos ;

quand il éclate en sanglots, elle lui chante une berceuse en balançant un peu les hanches, et ses pleurs sont vite apaisés. Plus près de moi, des femmes aux seins nus lavent leurs pagnes en cadence ; leur babillage paraît intarissable. Pour protester sans doute contre une blague importune, l'aînée de la bande, qu'on reconnaît à ses longs seins pendants, interrompt tout à coup son travail de lavandière et se met à asperger d'eau sa rivale, au grand plaisir de tout le monde. Un chien s'ébroue au sortir des flots, petit animal égaré au milieu de l'allégresse générale.

— Votre pays est beau.

Le vieil homme ne me répond pas tout de suite. Il laisse son regard voguer sur le fleuve. La pirogue s'éloigne lentement. J'observe encore le piroguier et ses gestes posés ; il me semble faire corps avec le grand fleuve.

— C'est ton premier séjour en Afrique ?

— J'y suis déjà venu ; mais je ne m'en souviens plus très bien.

C'était il y a de cela très longtemps. À l'époque, je ne comprenais pas encore tout à fait l'ampleur de la déchirure. Tant d'années se sont écoulées depuis, à m'efforcer de tout oublier, que j'ai peine à croire que je retrouve aujourd'hui le grand fleuve tropical. Ai-je nourri secrètement, pendant tout ce temps, le fol espoir de voir ranimés un jour mes vieux souvenirs ? Je ne saurais encore le dire. Mais je suis tout surpris de découvrir que j'ai enfin trouvé la force d'entreprendre ce long voyage.

— Mon père m'a souvent raconté à quel point votre pays lui plaisait.

— Les Blancs disent qu'on trouve ici de jolis paysages.

Il me semble que sa voix laisse poindre un soupçon d'amertume.

— De jolis paysages, répète-t-il en hochant la tête.

Je jette un regard de plus sur le fleuve. Je ne le reconnais pas. J'y ai pourtant tellement rêvé. En amont, de gros hippopotames, agiles dans l'eau comme des poissons, s'y mouvaient avec aisance ; de grands crocodiles, le ventre creux, y guettaient une proie. En aval, des palétuviers, dont les branches ressemblent à des racines et les racines à des branches, émergeaient des eaux saumâtres. Sur la rive, la forêt s'épanouissait, luxuriante, avec de l'ébène et de l'acajou en abondance ; on y entendait parfois, dans la nuit noire, le rugissement d'un léopard. Je ne vois toutefois nulle trace aujourd'hui de ce que j'imaginais lorsque j'étais gamin. C'est peut-être pour cela que tout me paraît si irréel, quand rien ne saurait exister d'aussi vrai.

— Tu es déjà venu jusqu'ici ?

— Jamais aussi loin.

— C'est le cœur de ce pays, ajoute-t-il pensif.

Autour de moi, il y a des femmes, des hommes et des enfants. Un garçon de deux ans se jette dans les bras de sa mère qui entrouvre sa chemisette et lui donne le sein. Assise auprès d'elle sur le pont de métal rouillé du traversier, une dame au sourire ravissant discute avec une compagne dont le coin des yeux est décoré de jolies pattes d'oie. Près d'une île de sable, de jeunes nageurs s'ébattent avec des cris de joie, puis prennent le bac en chasse pour abandonner au bout de quelques secondes, la bouche pleine d'eau. Un vieil homme au regard doux, accoudé au bastingage, me parle avec bienveillance. Dans un pays, il y a d'abord des gens, me dis-je. Peut-être le fleuve n'est-il pas tout à fait comme je l'ai imaginé.

— Pour bien connaître mon pays, il ne te suffira pas de savoir regarder, reprend-il. Il te faudra aussi ouvrir ton cœur.

Je n'ose rien répliquer, un peu embarrassé. Je songe à une lettre de mon père qui disait : « J'aime ce pays. Son peuple est maintenant le mien. J'aurais tant aimé pouvoir t'en parler. Mais comment te traduire la beauté de son âme ? J'ai peur de ne jamais y parvenir. »

Le soleil plonge dans l'eau vive, éclaboussant le ciel de gouttelettes rosées qui retombent sur l'onde en gerbes de fleurs. Le fleuve frissonne ; une brise, comme un murmure, effleure ma peau. J'en savoure pleinement la délicieuse fraîcheur.

— Nous voilà presque arrivés, me glisse-t-il l'air distrait.

Je ferme un peu les yeux. J'entends la respiration de l'homme à mes côtés, qui monte et qui descend comme une vague. C'est un souffle serein, à peine troublé parfois par une infime tristesse ; le mien est court et saccadé, comme si j'atteignais à quelque chose qui me tient à cœur, mais que je crains de ne pas pouvoir saisir à temps.

— Mais tu ne m'as pas encore dit d'où tu viens...

Je rouvre les yeux. Une volée d'oiseaux s'éloigne dans un bruissement d'ailes.

— Je suis de la neige et du froid ; d'un pays frileux qui ne connaît pas encore son nom.

— C'est loin ?

— C'est très loin.

Toute ma vie, il y a eu cet océan entre nous. Et voilà qu'aujourd'hui la distance est effacée. Je pénètre au sein du continent fertile que j'aurais tant aimé habiter durant mon enfance. Mais je ne suis déjà plus un enfant.

— À combien de jours de marche ?

— Trente années entières.

Le vieil homme, feignant de s'émerveiller, émet un long sifflement.

— Trente années !

Mais il n'est pas dupe. Il me gratifie d'un sourire affectueux. Nous ne nous connaissons pourtant pas. Des mots de mon père surgissent encore du fond de ma mémoire : « Les gens d'ici me chérissent comme un fils. » Ma douleur s'attarde de nouveau sur cette phrase si courte, mais qui m'a fait tant de chagrin.

— La route est souvent longue, laisse tomber le vieil homme.

La pirogue a presque disparu, au loin, entre le ciel et l'eau. C'est la tombée de la nuit, l'heure où tout s'accomplit.

Chapitre II

Le taxi de brousse

Nous allons bientôt aborder l'autre rive ; il est temps pour moi de regagner le taxi de brousse bondé dans lequel j'ai pris place jusqu'ici, et qui doit m'emmener, cahin-caha, à la ville la plus proche. C'est le seul véhicule sur le traversier ; mais il s'agit d'un tout petit traversier. Plusieurs voyageurs ont déjà retrouvé leur siège et attendent patiemment le départ du taxi de brousse ; d'autres, moins pressés, flânent encore un peu sur le pont.

J'examine de nouveau les passagers. Un jeune adolescent, respectueux, tend la main à une belle aînée et l'aide gentiment à gravir le marchepied ; son compagnon, moins discipliné, s'essaie à des figures de combat tirées d'un film de kung-fu. Tout près de lui, une jeune mère de famille, pressée de rejoindre le véhicule, interrompt soudainement la tétée de son nouveau-né, le laissant dans un profond désarroi. Tout à sa hâte de reprendre sa place, elle ne s'est même pas souciée de recouvrir son sein ; j'ose à peine profiter de ce charmant paysage. Je croise le regard du chauffeur. Celui-ci me fait signe d'embarquer ; mais le vieil homme me retient.

— Où vas-tu ?

Je hausse les épaules.

— À la ville, dis-je sans trop de conviction.

— Et ensuite ?

— Je n'irai pas plus loin.

Le chauffeur met le taxi de brousse en marche : sans doute veut-il ainsi faire comprendre à ses clients qu'il est l'heure de monter à bord. Le ronronnement du moteur est accueilli par des cris de basse-cour : une douzaine de poules, coincées sur le toit du véhicule, caquettent à qui mieux mieux et font voler leurs plumes dans un ébrouement d'ailes. Deux ou trois chèvres et un cabri, liés par les pattes au porte-bagages, se mettent alors à bêler à leur tour, comme s'ils voulaient protester contre le sort qui leur est réservé. Peut-être sont-ils destinés à quelque sacrifice ; sentant leur fin proche, ils sont pris tout à coup d'une grande frayeur. J'ai un haut-le-cœur ; mais je réagirais sans doute différemment si ce genre de spectacle m'était plus familier.

L'attitude de l'apprenti chauffeur paraît confirmer mon sentiment. Indifférent au brouhaha causé par les animaux, il grimpe sur le toit en prenant appui sur le rebord d'une fenêtre. Il s'assure d'abord que les piles de pagnes bigarrés, le régime de bananes, les trois pleins sacs de manioc et les effets personnels de chacun des passagers sont solidement attachés au porte-bagages. Puis il y fixe un dernier paquet, une caisse d'ananas bien mûrs que son patron a acquis bon marché juste avant de passer sur le traversier.

— Quand es-tu arrivé au pays ?

Le vieil homme s'adresse à moi sans gêne. Il me faut sans doute y voir le signe d'une attention toute naturelle. Mais j'ai l'habitude d'un peu plus de réserve de la part des inconnus : sa familiarité finit par provoquer en moi un léger malaise.

— Il y a à peine une semaine que je suis ici.

— Et que viens-tu y faire ?

Il me serait difficile de l'avouer. Ce serait dévoiler un sentiment sur lequel je préfère ne pas trop m'attarder pour l'instant. Aussi je ne réponds pas. J'ébauche un geste pour désigner le fleuve ; mais ma main retombe sur le garde-corps.

— C'est bon, je comprends.

Il m'examine attentivement. Cela m'indispose un peu : j'ai peur qu'il ne voie trop clair en moi, quand j'ai peine moi-même à saisir le mouvement qui m'anime. Quelque chose dans mon attitude, pourtant, l'incite à poursuivre.

— Tu sais, nos destins se ressemblent plus qu'il n'y paraît.

Il me prend l'envie de le réfuter : qu'a donc de commun sa vie avec la mienne ? A-t-il jamais eu à redouter les grands froids ? Puis je me dis que la sensation du froid naît peut-être également de la solitude et de l'absence. Il se pourrait que le vieil homme ait déjà vécu une expérience semblable.

— Je sais.

Il pose sa main sur mon épaule. Il y a de la délicatesse dans son geste. Je m'aperçois qu'il n'est pas insensible à mon embarras, et qu'il ne voudrait pas le voir grandir davantage. Cela me calme un peu.

— J'ai déjà pris hier ce chemin que tu empruntes aujourd'hui, dit-il.

Il me semble que ses yeux, soudain, s'illuminent : peut-être se remémore-t-il un souvenir ancien.

— À l'époque, mon visage était aussi lisse que le tien. Cependant, ajoute-t-il en souriant, il a pris depuis quelques rides.

J'observe de nouveau ses traits. Sa peau n'a plus rien d'élastique, il est vrai, mais son regard brillant révèle un esprit des plus vifs.

— Vous me paraissez pourtant très alerte, dis-je pour le complimenter.

C'est un peu maladroit ; mais il ne semble pas m'en tenir rigueur.

— Il ne faut pas s'y méprendre. À peine as-tu coupé une canne pour aider un vieillard à marcher que tu dois t'y appuyer à ton tour pour ne pas tomber.

— Vous n'en êtes pas encore là !

Il paraît m'approuver du regard. Un sourire s'épanouit sur ses lèvres, s'efface peu à peu, renaît, puis disparaît encore tandis qu'il s'efforce de prendre un air sérieux.

— Ce sentier où j'ai cheminé, nous devons tous le parcourir. Et je me réjouis de ce qu'il te mène ici, parmi nous.

Je souris brièvement afin de le remercier de sa gentillesse. Un chien aboie ; je me retourne vers la rive, si proche à présent qu'on croirait y toucher. Les femmes ont terminé leur lavage et retournent au village à la queue leu leu. Trois pirogues roses reposent sur le sable orangé ; dans quelques instants, la nuit en effacera complètement les couleurs. Des filets de pêche sont suspendus à de grands poteaux de bois vermillon. À travers les larges mailles, j'aperçois deux enfants en culottes courtes, pieds et torse nus, qui s'échappent de la cour d'une maison de terre battue et accourent vers le débarcadère. J'essaie de deviner leurs pensées: cela me permettrait peut-être de mieux saisir le sens de ma propre existence. Je ne sais cependant rien de leur vie, si ce n'est cette course effrénée pour assister à l'arrivée d'un traversier.

— Te voilà chez moi.

Le bac touche maintenant à la rive. Les deux enfants, essoufflés, m'observent d'un air ahuri: ils n'ont sans doute jamais vu encore d'être aussi étrange. Pour m'amuser un peu, j'essaie de les effrayer en feignant l'hostilité: je fronce les sourcils et roule de gros yeux menaçants. Puis je les pointe du doigt. Il n'en faut pas plus pour qu'ils détalent à toutes jambes, comme s'ils venaient d'apercevoir le diable en personne. Je suis aussitôt pris de remords d'avoir cédé à cet enfantillage; mais je ne peux revenir sur mon geste. Pendant ce temps, une jeune marchande, nullement impressionnée par mes simagrées, s'approche lentement du traversier, un plateau de noix de coco en équilibre sur la tête. Les derniers passagers s'engouffrent dans le taxi de brousse. Le chauffeur se met à klaxonner.

— Viens, crie-t-il. Nous partons.

Je serre la main du vieil homme.

— Je dois y aller.

Le véhicule quitte le traversier dans un vacarme assourdissant et se range sur le bord de la route. Le chauffeur m'attend; le vieil homme retient ma main dans la sienne.

— Pourquoi ne pas t'arrêter ici? Mon village n'est pas loin: il suffit d'une toute petite marche pour l'atteindre. Il me fera plaisir de t'y emmener.

Il ajoute ensuite, mystérieux:

— Peut-être y trouveras-tu ce que tu cherches.

J'ai grande envie de répliquer qu'il ne me manque de rien. Mais je me retiens : je n'ai pas la force de proférer un tel mensonge.

— Qu'en dis-tu ?

Je ne m'attendais vraiment pas à une proposition comme celle-là. Je ne sais que répondre.

— J'ai déjà payé mon voyage…

— On te remboursera, affirme-t-il. Il se trouvera bien quelqu'un sur la route pour prendre ta place.

J'ai toujours eu de la difficulté à céder à l'imprévu. Je ne suis pas très aventureux, préférant généralement confier ma destinée à un plan bien défini plutôt que d'affronter des lendemains incertains. Pourtant, sans trop savoir pourquoi, je me sens attiré par l'offre du vieil homme.

— Y a-t-il un hôtel au village ?

Mon interlocuteur se renfrogne, l'air vexé. Je réalise sur-le-champ que je viens de commettre une bêtise.

— Quand on amène un visiteur chez soi, on ne le laisse pas coucher dehors.

Je rougis.

— Je m'excuse.

Je vois cependant qu'il ne m'écoute pas. Quant à moi, je tergiverse toujours.

— J'aimerais bien pouvoir accepter votre invitation, mais j'ai prévu me rendre en ville dès ce soir.

Le vieil homme ne me laisse pas le loisir de me justifier davantage.

— Si quelqu'un t'y attend, tu dois y aller ; mais si tu n'as là-bas personne sur qui compter, mieux vaudrait sans doute rester ici. Ne compte pas trop sur la solitude : elle ne t'a pas vraiment aidé jusqu'à maintenant. Il faut savoir, quand on a froid, se rapprocher de ceux qui font du feu.

Je me tais, confus. Je me rends compte que mon hésitation n'a d'autre motif que le sentiment d'insécurité éprouvé à la pensée de me retrouver tout à coup dans un village où je n'ai ni parents ni amis, et dont je ne connais ni la langue ni les us et coutumes. Je m'en veux un peu d'être la proie d'un pareil sentiment. Cela n'y change pourtant rien : je suis inquiet à l'idée d'être plongé dans un environnement qui pourrait échapper à tout contrôle de ma part. Un court instant, les images d'un de mes livres d'enfant me reviennent en mémoire. Après maintes péripéties pleines de rebondissements, le héros, pourchassé par une horde de sauvages, était tombé du haut d'un précipice. J'étais convaincu qu'il allait se broyer les os ; mais il avait réussi à s'agripper à la branche d'un arbuste poussant au milieu de la paroi rocheuse. Il n'était pas sauvé pour autant : en moins de deux, les cannibales, exaltés, avaient apporté une grosse marmite d'eau bouillante qu'ils avaient placée juste au-dessous de lui. Comme la branche menaçait de se rompre, ils ne pouvaient contenir leur joie ; ils dansaient, délirants, en salivant abondamment. J'étais bouleversé : se pouvait-il qu'il ne reste bientôt plus de cette vie d'aventures que des bouts de chair coincés entre les dents de quelques sauvages ? Je me débarrasse toutefois bien vite de cette image d'épouvante : le héros s'en sortait par je ne sais quel miracle ; son corps ne serait jamais découpé en morceaux pour agrémenter une sauce à la noix de coco. Je sais fort bien, par ailleurs, que ce pays d'aventures n'existe que dans les rêves. Ma vie n'a rien de palpitant et, même ici, je ne cours aucun risque.

— Ce serait un grand honneur pour moi que tu acceptes l'hospitalité de ma famille.

Les arbres de la forêt, toute proche, se révèlent maintenant dans toute leur splendeur. Ils sont si grands que mon regard est tout naturellement porté à suivre leur poussée vers le ciel. Celui-ci s'est habillé d'un beau bleu sombre ; à peine y voit-on encore un petit fil de rose. Il serait malvenu de décliner l'invitation du vieil homme quand j'ai envie de l'accepter. Je peux aisément remettre à plus tard mon séjour en ville ; peut-être même cette ville n'a-t-elle rien à m'apporter. Aussi n'ai-je aucune raison de me défiler plus longtemps.

— J'y consens de bon cœur.

Son visage se détend imperceptiblement. Une joie profonde, soudain, m'envahit ; j'en suis le premier étonné.

Je cours rattraper le taxi de brousse et fais signe à l'apprenti de venir m'aider à récupérer mes bagages, tandis que mon hôte tâche d'expliquer au chauffeur ce qui se passe. Celui-ci peste un peu, mais demande tout de même à son assistant d'obtempérer. Je le vois de nouveau grimper avec agilité sur le véhicule, puis s'évertuer à trouver mon sac parmi l'amoncellement de marchandises diverses entassées sur le toit.

Pendant ce temps, les quelques passagers venus à pied sur le traversier commencent à gagner la terre ferme. Deux jeunes femmes aident une dame, qui paraît avoir cent ans, à soulever sa lourde charge de tubercules d'igname, puis à la poser délicatement sur sa tête. Elles n'y parviennent pas sans effort : le fardeau doit peser près de cinquante kilos. Il en faudrait cependant un peu plus pour venir à bout de leur énergie : leurs épaules sont robustes, leurs bras, ronds et musclés et leur détermination me semble à toute épreuve. Je suis frappé d'admiration devant la force tranquille qui émane de ces femmes ; mais je le suis plus encore quand je vois la vieille s'éloigner à petits pas avec sa charge sur la tête, courbée sous le poids, mais souriant à la ronde comme si de rien n'était. Je ne sais d'où lui vient ce courage.

La marchande de noix de coco profite du délai avant le départ du taxi de brousse pour venir y chercher des clients. Elle fend le sommet de chaque noix à petits coups de machette, pratiquant ainsi une ouverture qui permet de boire le lait de coco. Des vendeurs de citronnade et de boisson au gingembre se précipitent eux aussi, offrant avec insistance leurs rafraîchissements aux voyageurs ; plusieurs d'entre eux se laissent convaincre et entreprennent de se désaltérer un peu avant de reprendre la route.

L'apprenti chauffeur est enfin parvenu à dégager mon sac ; il le jette par terre et redescend par la petite échelle fixée à l'arrière du véhicule. À peine a-t-il le temps de poser son pied sur le sol que déjà le taxi de brousse fait marche avant. Les marchands ambulants s'écartent en toute hâte pour lui céder le passage, tandis que l'apprenti me salue d'un geste rapide de la main et regagne sa place en courant.

Je mets mon sac au dos et emboîte le pas au vieil homme. Le taxi de brousse disparaît dans un nuage de poussière.

Me voici sur la route à présent. La noirceur est venue ; je n'y vois plus très bien. Un animal au cri étrange hurle dans la nuit.

— C'est par ici.

Le vieil homme prend à gauche par un petit sentier étroit qui longe le fleuve et m'invite à le suivre.

Chapitre III

Le rire de la hyène noire

D'un côté, il y a la forêt, sombre et menaçante ; de l'autre, le grand fleuve, si calme tout à coup, et brillant d'une lumière vague. Le petit sentier serpente entre les deux, à peine éclairé parfois par la lueur du ciel étoilé et ses pâles reflets sur l'eau. La lune n'est pas encore levée et j'ai d'abord beaucoup de peine à discerner à quel endroit je peux poser le pied, à chacun de mes pas, sans risquer de me fouler la cheville ; mais je m'habitue progressivement à l'obscurité, et bientôt je n'ai plus de difficulté à me jouer des inégalités du terrain et des accidents de parcours qui parsèment notre route.

Un vent tiède souffle du fleuve vers notre rive. Il nous apporte par bouffées successives des odeurs riches et tenaces qui me semblent fidèles à celles de mes souvenirs : un relent de terre humide, un parfum de jasmin, la senteur âcre d'un feu de bois. D'autres odeurs, plus subtiles, s'y assemblent, composant un arôme singulier qui est pour moi celui des tropiques. Cet arôme emplit la nuit, habitée également par le bruissement des feuilles sur la plus haute futaie, le coassement des grenouilles en bordure du fleuve, le chant strident des grillons dans les buissons et, de temps en temps, sur une branche haut perchée, le hululement d'une chouette ou d'un hibou. Voilà donc ce qu'on appelle le silence de la nuit, me dis-je, cet instant de pause fait de murmures, de frémissements et de paroles de petits animaux.

— Chut ! Tu entends ?

Le vieil homme s'est arrêté. Un cri interminable, tel un long ricanement, vient de percer le silence.

— C'est le rire de la hyène noire, chuchote-t-il.

Un grand frisson m'envahit.

— Une hyène !

— La hyène noire. Elle n'est pas loin.

Je deviens blême. Je suis sûr de l'entendre à présent ; elle marche à pas feutrés dans notre direction, pressée de me sauter au cou pour s'abreuver de mon sang.

Le vieil homme voit ma mine affolée et tente de me calmer.

— Ne crains rien, dit-il. Son cri a tout pour nous effrayer ; mais la bête se fait vieille et n'a plus de dents pour mordre.

Je ne suis guère rassuré. La hyène est un animal dangereux ; elle n'hésite pas à disputer ses proies au lion qui ne redoute pourtant rien. Il me semble déjà sentir sur moi son haleine fétide ; le vieil homme se met à rire.

— L'ignorance est la mère de la peur. Ne vois-tu pas que je me moque de toi ? Je n'ai jamais vu de hyène dans les environs. Ne t'inquiète pas pour rien : ce n'est là que le cri d'un petit oiseau de nuit tout à fait inoffensif.

Voyant mon air hébété, il s'esclaffe de nouveau.

— Vas-tu fuir au seul chant d'un oiseau ? Allez, suis-moi : il n'est rien de redoutable ici.

Je ne le savais pas capable d'une telle plaisanterie ; décidément, cet homme n'a pas fini de me surprendre. Je me trouve franchement ridicule et m'en veux de ma naïveté ; je respire toutefois un peu mieux. Tandis que nous reprenons notre chemin, je ne peux pourtant pas m'empêcher d'avoir des pensées funestes. J'en suis tout surpris : je ne connais pas la mort, ne l'ayant jamais vu approcher, ni même enlever aucun de mes proches. Je me demande comment je réagirais si elle emportait l'un des miens. Je ne me suis jamais préparé à une telle éventualité ; mais peut-on jamais s'accommoder du départ d'un être cher ? Je n'arrive même pas à accepter de me trouver sans nouvelles de mon père.

— Tu as vu ? Là-haut, entre les arbres, la lune commence à se montrer.

Elle est ronde comme le ventre d'une femme enceinte.

— C'est bientôt la pleine lune, dis-je.

— La nuit prochaine.

Quand j'étais enfant, je ne comprenais pas que la lune parfois nous quitte durant quelques nuits. Je demandais à mon père : « Où est-elle allée ? » Il me répondait chaque fois : « Elle est morte. » Puis un soir, elle réapparaissait, reprenant une vie nouvelle. Mon père s'exclamait alors : « Tu vois ? Elle revit ! » Quand mon père est parti, j'ai dit à ma mère : « Papa est mort » ; je n'en attendais pourtant pas moins son retour. Ma mère m'a sévèrement grondé ; elle ne me comprenait pas. Aujourd'hui, je me demande si la vie et la mort ne seraient pas les deux faces d'une même réalité. Mais comment en avoir l'assurance ?

— Elle est venue pour t'ouvrir le chemin.

J'ai beau réfléchir, je ne suis pas sûr de saisir tout à fait ce qu'il veut dire ; il y a dans ce pays tellement de choses que je ne comprends pas. Depuis le jour de mon arrivée, j'ai tâché de trouver une explication à ces choses et à tout ce qui, dans le comportement des gens d'ici, me paraît étranger. J'ai eu parfois l'impression d'y parvenir ; ce n'était jamais qu'une illusion. Peut-être mon père ne me mentait-il pas quand il écrivait : « Chaque semaine depuis mon départ, j'ai composé une lettre à ton intention. Celle-ci est donc la quarante-neuvième que je te destine, bien que ce soit la première que tu aies la chance de tenir dans tes mains. Il m'aura fallu tout ce temps pour comprendre que je ne dois pas tenter d'expliquer ce que je découvre ici : la vérité s'en trouve chaque fois dénaturée et j'ai honte au matin de ce que j'ai prétendu la veille. Je me relis et je ne reconnais plus rien ! Quelquefois, il me vient même à l'idée d'affirmer tout à fait le contraire de ce que j'ai soutenu avec tant d'assurance le jour précédent. Voilà pourquoi toutes les lettres que je t'ai adressées ont échoué dans la poubelle. Sans doute vaut-il mieux attendre un peu avant de juger de cette vie nouvelle. Je vais tenter de m'en laisser imprégner ; quand elle aura fait son nid en moi, je pourrai peut-être en parler plus aisément. J'espère que tu sauras me pardonner mon long silence. »

Je réalise tout à coup que je n'ai jamais pu accepter tout à fait ses excuses. J'avais tant espéré recevoir de ses nouvelles, chaque jour, durant une année entière, que je ne savais même plus croire en lui. Un jour, il me semblait l'aimer ; le jour suivant, j'avais la certitude de le détester.

Il m'a écrit régulièrement pendant un certain temps. Je suis même allé lui rendre une courte visite. Il m'a adressé encore quelques lettres. Puis il s'est tu. Je ne sais pas ce qu'il est devenu, ni même s'il est encore en vie. Cependant, je n'aime pas songer à tout cela : je suis peut-être un peu superstitieux. Je m'empresse donc de chasser ces sinistres pensées de mon esprit.

Le vieil homme fait halte quelques secondes pour contempler le fleuve. Je m'arrête moi aussi pour admirer ce magnifique paysage. La lune se mire dans l'onde. Un tronc d'arbre égaré s'abandonne au courant. De petits poissons font des ronds dans l'eau. J'écoute le clapotis des vagues sur la grève.

Je porte mon regard un peu plus loin en amont. De petits rapides y agitent un chapelet de tourbillons. Je me laisse emporter par leur tournoiement ; soudain, il me semble que des créatures étranges surgissent des flots. Ce sont des esprits vagabonds ; ils flânent un moment sur la rive, puis progressent sans hâte en direction du village. Leur marche est une valse lente, avec des poussées en avant, des pas suspendus, quelques mots murmurés, de grands rires éclatants, puis de nouveau de petits pas traînants dans la poussière. De temps en temps, ils se tournent vers moi, m'encourageant d'un sourire à poursuivre ma route. Ils ne semblent animés que de bonnes intentions. Leur présence me rassure : on dirait qu'ils veillent sur moi.

Le vieil homme repart et je lui emboîte de nouveau le pas. Parfois, à un détour du sentier, un de ces êtres mystérieux est là, qui s'écarte pour me laisser passer en me souhaitant la bienvenue ; cet accueil favorable me permet d'avancer dans l'obscurité sans être effrayé par le frémissement des feuilles dans les arbres et leurs ombres mouvantes. Une hyène noire ricane encore dans la nuit ; mais sa gueule édentée ne me fait plus peur à présent.

J'entends maintenant la rumeur d'un tam-tam. Je me surprends à souhaiter qu'elle apporte un message qui nous soit destiné. Je m'en ouvre à mon guide.

— On m'a dit que l'on pouvait se servir du tam-tam pour transmettre des nouvelles.

— C'est aujourd'hui celle de ta venue.

Mais il a un sourire espiègle. Je lui fais comprendre que je ne suis pas dupe.

— Si tu y prêtais un peu plus attention, tu devinerais que ce ne sont là que des jeux d'enfants. Qui te dit néanmoins qu'ils ne célèbrent pas ton arrivée ? Le tam-tam porte la voix de l'homme ; et cette voix tremble un peu de la joie de t'accueillir parmi nous.

Je sens comme un pincement au cœur. Le rythme du tam-tam bat dans mes veines. J'entends des cris d'enfants, la mélopée d'une femme, puis le rire de quelques vieillards. Une flamme vacille dans l'obscurité.

— C'est mon village, m'annonce le vieil homme, rayonnant. Sois le bienvenu.

Chapitre IV

La reine Pokou

Je demeure silencieux quelque temps, à contempler le paysage qui s'offre à mes yeux. Nous avons atteint le sommet d'une colline qui surplombe le village, recroquevillé au fond de la vallée. Je n'en distingue pour l'instant que les lumières dispersées scintillant dans la nuit comme des feux follets. À quelques centaines de mètres de là, le fleuve s'étire tel un long ruban de soie miroitant. Tout le reste appartient à la forêt, baignant dans des ténèbres que les reflets de la lune eux-mêmes ne parviennent pas à dissiper.

— C'est ici, dit-on, que la reine Pokou a découvert que le grand fleuve lui barrait la route, m'apprend le vieil homme. Il se trouve bien sûr des gens d'un village en amont pour prétendre que cela est arrivé chez eux ; mais j'ai la certitude qu'elle est passée par ici.

Je connais depuis longtemps cette histoire : mon père, quelque temps avant son départ, avait pris la peine de me la raconter.

Au royaume des Ashantis, il y a plus de deux cents ans, vivait une femme d'une grande fierté. Elle était la nièce du roi Toutou. On l'appelait Abra Pokou. Un important différend l'avait un jour opposée à son oncle. Pour éviter son châtiment, elle avait dû fuir vers l'ouest avec une partie de son peuple ; mais on les avait pourchassés sans répit. Ils avaient donc dû marcher jour et nuit, sans jamais prendre de repos. Or un soir, à l'heure où le soleil s'apprête à disparaître à l'horizon, ils étaient arrivés devant un fleuve large et profond. Le cours d'eau était en crue : il paraissait infranchissable. La fatigue aidant, plusieurs de ceux qui avaient pourtant suivi Pokou de leur plein gré s'étaient aussitôt mis à gémir, maudissant le sort de les avoir trahis ; déjà, ils voyaient leurs poursuivants les rejoindre et leur faire subir les pires atrocités. Pokou avait alors demandé, au sorcier qui l'accompagnait, ce qu'elle devait faire pour sauver son peuple. Sa réponse avait été longue à venir ; mais elle était sans équivoque. Il n'y avait qu'un seul moyen de se concilier la faveur du dieu du fleuve : il fallait lui offrir en sacrifice ce qu'elle avait de plus précieux. Pokou avait aussitôt commencé à se défaire de son or et de ses bijoux ; mais le sorcier, l'interrompant, lui avait montré l'enfant qu'elle portait sur le dos : c'était de loin le bien ayant le plus de prix pour elle. Pokou avait poussé un cri d'épouvante ; malheureusement, elle ne pouvait se soustraire à la volonté de son dieu. Aussi, dans un geste désespéré pour délivrer son peuple du triste sort qui lui était promis, elle avait, sans une plainte, abandonné son fils au courant. De grands hippopotames avaient alors surgi des flots pour former un pont entre les deux rives. Une fois le fleuve franchi, Pokou et les siens avaient vu le pont s'évanouir comme dans un rêve et leurs assaillants se heurter au cours d'eau invincible. Ils venaient de trouver un nouveau royaume ; mais au moment de le baptiser, Pokou, mère avant d'être reine, n'avait pu s'empêcher de pleurer son fils disparu. «*Ba ouli!*», s'était-elle lamentée, ce qui en notre langue signifie : «L'enfant est mort ! » Et le pays se nomme depuis «baoulé», c'est-à-dire «la terre de l'enfant mort». Je ne discerne rien aujourd'hui de ce royaume, si ce n'est une tache sombre s'étendant, depuis le fleuve, sur des dizaines de kilomètres, et dont les limites semblent se fondre avec le ciel.

— C'est un grand fleuve, dit le vieil homme.

Mon regard revient au puissant cours d'eau qui luit comme un cristal sous la voûte étoilée ; il me paraît si calme cette nuit que j'ai peine à imaginer la furie qui peut s'emparer de lui au moment des grandes eaux.

— C'est le cœur de ce pays, dis-je.

Le vieil homme me sourit.

— Tu as bien appris ta leçon.

Je me sens prêt à amorcer la descente vers le village ; mais le vieil homme me tourne subitement le dos et effectue quelques pas dans l'ombre au bord du sentier. Je le suis distraitement du regard ; il se dirige vers un vieil acacia. Je réalise alors qu'une douzaine de personnes, assises sur de grosses bûches disposées en demi-cercle au pied de l'arbre, nous observent avec curiosité. J'ai un mouvement de recul ; mais le vieil homme ne marque aucune hésitation tandis qu'elles se lèvent pour venir à sa rencontre. Je suis aussitôt rassuré. Il me faut quand même un certain temps avant d'avancer à mon tour. Les gens ne me quittent pas des yeux. Je ne discerne pourtant sur leur visage aucun signe de surprise. Ils paraissent plutôt avides de faire ma connaissance, comme s'ils attendaient ce moment depuis longtemps. Je ne sais pas trop quoi en penser. Un vieillard courbé se précipite vers moi, la main tendue.

— Bonne arrivée, dit-il, le sourire aux lèvres.

— Merci.

Il serre longuement ma main dans la sienne. Cela ne me plaît guère : je n'ai pas l'habitude de ces poignées de main qui n'en finissent plus. Il ne paraît toutefois pas s'en soucier, agitant mon bras comme s'il retrouvait un vieux frère.

— Sois le bienvenu, reprend-il, la main toujours cramponnée à la mienne.

Quand il libère enfin mes doigts, ce n'est que pour céder sa place à un homme aussi âgé que lui qui veut me saluer à son tour. Je note que son costume, comme celui de mon guide, est formé d'une seule pièce, très ample, qui lui couvre tout le corps. Ce vêtement me paraît des plus confortables ; le vieillard doit cependant le tenir d'une main pour qu'il ne tombe pas, ce qui limite un peu ses mouvements.

— Bienvenue.

— Merci.

Il rit de bon cœur en me serrant la main, comme s'il ne pouvait contrôler le bonheur qu'il éprouve de me trouver là. J'en suis troublé : même mes amis les plus chers ne m'ont jamais vu manifester autant de joie à les retrouver. Je ne veux cependant pas trop y songer.

À peine l'aîné s'est-il écarté un peu qu'il est déjà remplacé par une vieille dame. Elle ne semble éprouver aucune gêne à m'examiner, tandis que je réponds tant bien que mal à ses salutations. Une autre dame lui succède, puis un jeune homme. Tout le monde en fait se rue sur moi pour me serrer la main, au milieu des rires et des éclats de voix.

Je m'efforce de recevoir les poignées de main et les bons vœux de chacun avec détachement, bien que je n'aie pas l'habitude d'être l'objet d'autant d'attention. Tant de regards se posent sur moi que je n'arrive plus à rester naturel : je balbutie mes remerciements et me sens même un peu maladroit.

— Tu es très populaire, dit le vieil homme pour me narguer.

J'essaie de comprendre pourquoi ma présence fascine les gens à ce point. Je devine que l'aspect singulier de mes traits n'y est pas étranger : une peau très blanche, des yeux clairs, des cheveux lisses. Je trouve tout de même étonnant qu'on se révèle si curieux du moindre de mes gestes. Il est vrai que les villageois n'exercent pas moins d'attrait sur moi que je n'en exerce sur eux.

Tandis que j'y réfléchis, une dernière personne se présente devant moi. C'est une femme au visage couvert de rides. Elle me regarde longuement, sans mot dire. Une grande tendresse se lit dans son regard. Je suis surpris de pouvoir en profiter ; ce sentiment lui paraît pourtant tout naturel.

— Bonne arrivée, dit-elle enfin, nullement embarrassée par notre long silence.

— Je vous remercie.

Elle me dévisage sans retenue ; on dirait qu'elle cherche à fixer mes traits dans sa mémoire. Puis elle dirige ses yeux, lentement, de bas en haut, sur moi. Je suis aussitôt envahi par le sentiment qu'elle est en train, ce faisant, de m'accorder sa bénédiction. J'en suis profondément remué.

La figure de ma mère se superpose subitement à la sienne. Mon regard se brouille. Je cherchais sur ses traits l'expression d'une tendresse ; mais son visage demeurait impassible.

— Tu lui ressembles tellement.

J'appelais un peu de compréhension de sa part ; mais elle ne le pouvait pas. Quand elle m'avait giflé, j'avais ressenti une vive brûlure sur ma joue ; je m'étais cependant retenu de pleurer.

— Je ne peux plus le supporter, avait-elle crié.

Son visage s'était défait ; il y avait en elle une immense détresse. Je ne savais que faire ; je me sentais totalement impuissant. Puis elle s'était jetée sur moi pour me couvrir de baisers. Je sentais les spasmes de son corps marteler ma poitrine tandis qu'elle éclatait en sanglots.

La vieille dame me quitte dans un sourire plein de douceur. J'ai du mal à contrôler mon émotion. Je ne peux m'empêcher de songer qu'elle vient tout juste de m'offrir, en toute simplicité, ce que ma mère avait tant de difficulté à donner. Il y a d'autres façons de faire que celles que j'ai apprises ; peut-être saurai-je un jour m'y ouvrir en toute confiance.

Chapitre V

Le vieil acacia

Nous avons pris place à notre tour au pied du vieil acacia, dont les branches épineuses forment au-dessus de nos têtes une espèce de parasol. On y jouit d'un magnifique panorama sur le fleuve. La lune est si claire que les branches de l'arbre dessinent sur le sol une ombre très nette. Je m'y habitue peu à peu et découvre bientôt, en retrait, quelques enfants qui me fixent avec des yeux écarquillés. Ils sont à moitié nus ; mais ils ne semblent guère en souffrir.

— Venez saluer notre invité, leur lance le vieil homme.

Ils partent aussitôt se cacher dans un fourré.

— Ils craignent que tu veuilles les manger.

Une jeune femme rit à gorge déployée. Une autre cligne de l'œil dans ma direction. Elles ont les joues rondes ; elles sont ravissantes. Toutes deux sont vêtues de pagnes multicolores. Une première pièce de tissu, enroulée simplement autour des hanches, leur tient lieu de jupe ; une seconde, taillée avec soin, leur sert de corsage.

— Ils font bien de se méfier, dis-je.

Les jeunes femmes éclatent de rire de nouveau. Le vieil homme sourit doucement, puis se rembrunit, l'air absorbé.

— Je ne sais d'où leur vient cette inquiétude, poursuit-il. Peut-être ne s'agit-il que de la peur d'avoir à endurer des souffrances insupportables. Mais c'est aussi comme si, à leur âge, ils redoutaient déjà la mort.

— Vous exagérez un peu.

Une vieille dame, frileuse sans doute, couvre ses épaules d'un pagne supplémentaire. Mon regard se fixe sur le tronc de l'arbre ; je suis brusquement la proie d'un vague inconfort. Je songe que c'est parfois d'une branche d'acacia qu'on fleurit la tombe des morts. C'est un arbre au bois dur, presque imputrescible : sans doute veut-on souligner par son usage que l'immortalité ne peut naître que de la mort. Qui peut cependant le certifier ? Ma chair n'a rien du bois d'acacia.

— Qui sait ce qu'il en est vraiment ? reprend le vieil homme.

Je me dis tout à coup que ce pourrait être pour accéder à des connaissances venant de l'autre monde que ces gens ont choisi un tel endroit pour se rassembler. Peut-être même le sorcier qui voyageait avec Pokou s'était-il réfugié là quelques instants avant de faire part à sa souveraine du sacrifice qu'elle devait accomplir pour libérer son peuple. Je n'ose cependant pas croire à l'une ou l'autre de ces idées. Ce n'est pas qu'elles m'apparaissent si insensées ; je crains seulement qu'elles m'entraînent en des lieux où ma raison ne me serait d'aucun secours.

— Mais il ne sert à rien de se torturer avec des questions insolubles, me souffle le vieil homme. Un couteau, même aiguisé, ne peut racler son propre manche.

Il se lève lentement de son siège.

— Je dois maintenant dire quelques mots pour souligner ton arrivée.

Il s'éclaircit la voix, dresse le menton, prend un air solennel et lève la main devant lui. Tout le monde se tait sur-le-champ.

— Le silence est une vertu. Cependant, lorsque le cœur déborde, il faut aussi savoir s'épancher, dit-il.

Je suis curieux d'apprendre ce qu'il a à raconter ; mais il s'adresse aux siens dans une langue que je ne connais pas. J'essaie de deviner la teneur de son propos ; je n'y arrive pas. Je suppose qu'il explique les circonstances de notre rencontre ; mais comment en être sûr ? J'ai pourtant la certitude que ses paroles sont bienveillantes : il parle posément, avec une voix douce aux accents chantants ; il a retrouvé son sourire et ses yeux brillent de malice. Au bout d'un moment, tout le monde se met à rire. J'hésite une seconde ; mais le rire est si franc, visiblement si dénué de méchanceté, que je ne puis m'empêcher de m'esclaffer à mon tour. Peut-être le vieil homme rapporte-t-il la frousse dont j'ai été victime en entendant le rire de la hyène noire.

Je me détends donc, peu à peu, sous la magie de paroles qui sont pour moi dépourvues de sens, mais dont la musique m'apaise ; et je me mets à songer que ces villageois qui m'accueillent sont peut-être les descendants de gens qui ont été les témoins du drame vécu par la reine Pokou. Leurs ancêtres vivaient déjà ici, au bord du fleuve, quand la souveraine est arrivée avec son peuple. Ils l'ont vue jeter son fils dans l'abîme, puis traverser le fleuve que nul avant elle n'avait jamais franchi au moment des grandes crues. Il est possible également qu'ils aient été eux-mêmes du peuple de Pokou, mais de ceux-là qui refusaient le sacrifice, préférant demeurer sur la rive orientale du fleuve plutôt que de devoir leur fortune à la suppression d'un des leurs, fût-il un enfant au berceau.

— Te voilà chez toi.

J'émerge lentement de mes rêves. Les gens inclinent doucement la tête, comme pour approuver les paroles de mon hôte.

— Tu dois maintenant te considérer comme un membre de ma famille, poursuit-il.

Je suis touché. Une aînée me sourit ; elle porte sur son dos un bambin emmitouflé dans un pagne dont elle a noué les extrémités sur son ventre. Les pieds de l'enfant s'échappent des deux côtés du pagne. Il me vient l'envie de les chatouiller ; je n'ose pas, cependant, m'accorder ce plaisir.

Je reporte mon attention sur le vieil homme. Subitement, un profond malaise s'empare de moi : « Te voilà membre de ma famille ». Je ne comprends pas ; ça leur paraît si simple.

— J'ai assez parlé, conclut le vieil homme. À ton tour de le faire maintenant.

Je me sens pris au dépourvu. Les discours me pèsent. Je consens néanmoins à prendre la parole, malgré mon embarras.

— C'est un grand plaisir pour moi de me trouver parmi vous.

Le vieil homme, dans un sourire, m'encourage à persévérer.

— Je suis vraiment honoré de votre hospitalité.

Les gens m'écoutent d'une oreille attentive. J'essaie de dire encore quelques mots pour les satisfaire. Cependant je me mets bientôt à bafouiller : je ne peux me délivrer de l'image d'un petit garçon, nerveux, qui s'efforce de réciter, du mieux qu'il peut, quelques vers dédiés à sa mère à l'occasion de son anniversaire. Son père se tient debout près de lui, l'invitant du regard à faire preuve de courage et à déclamer le poème avec émotion. L'enfant ne veut pas le décevoir ; mais il trébuche sur les mots les plus simples.

Le vieil homme pose sa main sur mon épaule, comme pour me signaler que je peux arrêter là mon discours. Mon père n'avait pas agi autrement, autrefois ; je ne peux y songer sans en ressentir un certain émoi.

— C'est bon, dit-il. Merci.

Il lève les bras au ciel et prononce deux ou trois mots qui sont aussitôt repris en chœur par ses compatriotes. Je ne peux en saisir le sens ; il s'agit sans doute d'une formule consacrée dont l'emploi est prescrit dans les circonstances. L'explication du vieil homme vient confirmer mon sentiment.

— Nous te remercions de ton beau témoignage, mais seul le Créateur mérite ta gratitude. C'est en effet de la nature que nous tenons les ressources nécessaires pour t'accueillir. En te recevant, nous ne faisons qu'obéir à l'ordre des choses.

Il a à peine terminé que tout le monde se lève et se presse, se bouscule autour de moi. Une vieille au regard plein de vie me prend la main.

— Comment ça va ? demande-t-elle en effleurant ma paume du bout des doigts.

Je réalise à l'instant que l'on vient d'entreprendre une nouvelle tournée de salutations. Je n'y comprends pas grand-chose : on m'a déjà souhaité la bienvenue. Je me prête quand même de bonne grâce à cette obligation, bien que j'eusse préféré un moment de répit.

— Très bien, merci. Et vous ?

— Ça va très bien. Tu as fait un bon voyage ?

— Oui, merci.

— Et la santé ?

— Je me sens en pleine forme.

— Et la famille ?

Je n'ai pas vraiment le goût d'en parler.

— Ça va.

— Et tes parents ?

Je m'apprête à répondre que je n'en sais rien. Elle a cessé de caresser ma main. Je me ravise.

— Ils se portent bien.

— Et ta femme ?

— Je ne suis pas marié.

— Tu n'es pas marié ?

Elle paraît stupéfiée. Je ne sais que lui dire. Je balbutie.

— Mais... mais non !

— Et tes enfants ?

— Je n'en ai pas.

— Tu n'as pas d'enfants !

Je suis un peu surpris de sa réaction. Personne chez moi ne s'étonne de mon célibat.

— Ce qui rend la main belle, ce sont les doigts. De même, l'homme et la femme ne sont rien sans les enfants, dit-elle sur un ton plein de reproches.

J'approuve son propos d'un mouvement de tête ; mais elle ne m'a pas convaincu. Il m'arrive bien sûr de concéder qu'il puisse être agréable d'avoir des enfants. Je n'oserais pourtant pas me lancer dans une telle aventure : j'aurais trop peur de n'avoir ni l'intérêt ni la force d'assumer pleinement la responsabilité qui m'incomberait alors.

La dame me laisse en souriant. Je serre encore quelques mains, répondant invariablement aux mêmes questions. Quand tous les adultes ont fini de me saluer, c'est au tour des enfants d'essayer de me voir de plus près. Ils s'approchent timidement, bouche bée. Ils me tendent une main molle, comme paralysée, puis la retirent rapidement pour aller se réfugier auprès de leur mère ; là, ils examinent leur main avec soin, comme s'ils craignaient qu'elle pût changer d'apparence après m'avoir touché, ou surpris seulement d'avoir senti à mon contact une chaleur semblable à la leur. Certains garçons, plus audacieux, se tiennent à quelques pas de moi, faisant les fanfarons auprès de leurs camarades. Je touche la tête de l'un d'eux. Ses cheveux crépus rebondissent dans ma main. Nullement effarouché, il entreprend alors de caresser les poils de mon bras, comme s'il s'agissait d'une douce fourrure. Il paraît en éprouver une drôle de sensation, puisqu'il se met à rire.

— Comment t'appelles-tu ?

— Kouakou.

Il s'enfuit aussitôt pour aller rejoindre ses camarades ; il leur montre ensuite le bout de ses doigts, exubérant, comme s'ils pouvaient discerner le chatouillis qu'il feint de ressentir sur sa peau. Puis il s'en va dans une pirouette.

Mon père a-t-il eu droit à ce bel accueil, autrefois ? Je n'en doute plus guère à présent. Enfant, je l'imaginais pourtant devoir affronter des hordes de cannibales assoiffés de sang. Longtemps, je n'avais pas voulu croire ma mère quand elle m'affirmait qu'il n'en était pas tout à fait ainsi.

«Pourquoi papa est-il parti?», lui avais-je un jour demandé. Des larmes lui étaient venues plein les yeux. Elle n'avait rien dit. Aujourd'hui, je n'en sais pas plus qu'hier sur les motifs qui ont poussé mon père à effectuer ce voyage. Pourtant, en regardant les gens rassemblés autour de moi, à l'instant, il me semble entrevoir, sans pouvoir les nommer, quelques-unes des raisons qui ont pu l'amener à arrêter ici sa course.

Chapitre VI

Le masque

C'est la fête au village. La vallée résonne de chants, de rires et d'éclats de joie, et les pas de danse font vibrer la place du marché. Je crois rêver. Je suis brusquement plongé dans un univers étrange, dont je ne soupçonnais même pas, il y a peu, l'existence. Tam-tams, foule bigarrée, danse par une nuit claire dans la forêt tropicale, tout se conjugue pour donner à mon arrivée un caractère irréel. Je ne me souviens pas d'avoir éprouvé une impression semblable.

Je me revois, en plein hiver, sur la grand-place de ma ville du nord. Je reviens, le cœur serré, d'un voyage aux confins du globe ; et je cherche des yeux un visage connu. Il suffirait d'un regard, à peine appuyé, pour que s'évanouisse le sentiment de ma solitude ; mais il n'y a personne pour saluer mon retour. Aujourd'hui, la foule a pris d'assaut la place du marché. Cela n'a sans doute rien à voir avec mon arrivée ; mais je ne puis m'empêcher de songer que ces gens se sont réunis pour me souhaiter la bienvenue. C'est une idée un peu folle ; je ne sais pas comment ils auraient pu être mis au courant de ma venue. Cela ne change pourtant rien à mon sentiment. J'en suis troublé.

J'essaie de ne pas me laisser bouleverser par l'émotion qui m'envahit. J'en ai peut-être un peu peur ; mais j'ai toujours détesté d'être confronté à ce que je ne comprends pas. J'aimerais pouvoir poser sur les gens un regard détaché ; mais on dirait que chacun de leurs gestes s'adresse à moi, me refusant le droit de n'être parmi eux qu'un spectateur. Et j'ai honte de cette réserve qui me cloue sur place, quand d'autres, devant moi, dansent avec tant d'aisance.

— On dit que les Blancs ne dansent pas, me glisse le vieil homme à l'oreille.

À l'exception de lui, tous ceux que j'ai rencontrés sous le vieil acacia se sont joints à la danse. Il est vrai qu'il règne sur la place une belle fraîcheur ; on ne pouvait choisir de meilleur moment pour des réjouissances.

— J'en connais pourtant qui fréquentent assidûment les boîtes de nuit.

Je pense à tous ceux qui se trémoussent dans les discothèques, tandis que j'arpente les rues durant les trop longs soirs d'hiver.

— Il ne s'agit pas de cela : on dit que les Blancs frétillent comme des poissons, mais ne savent pas danser.

Je me mets à observer les villageois avec un peu plus d'attention. Ils dansent en cercle, les uns derrière les autres, en progressant à petits pas dans le sens des aiguilles d'une montre. Ils se tiennent le dos droit, mais légèrement incliné en avant, et leurs genoux restent fléchis, si bien que leurs pieds ne semblent jamais quitter le sol, mais plutôt glisser à sa surface. S'il y a dans le mouvement des jambes une certaine retenue, tout le reste cependant n'est que jubilation : les danseurs sont habités corps et âme par une joie débordante qui me fait terriblement envie. Aussi dois-je admettre qu'il y a ici une harmonie qu'on trouve rarement sur les pistes de danse de chez nous. Celle-ci ne vient pas tant de la chorégraphie que de la grâce naturelle de chacun des danseurs dans ses gestes les plus simples.

— Vous avez peut-être raison, dis-je.

Il m'est d'autant plus facile de faire cet aveu que je ne danse pas.

— Par contre, il existe dans mon pays d'excellents musiciens.

Il paraît étonné. Je sens qu'il a peine à me croire.

— Chez nous, la musique et la danse sont indissociables, affirme-t-il.

La fête de ce soir ne peut que lui donner raison : tous les musiciens sont des percussionnistes. L'un d'entre eux marque la cadence avec un tam-tam. D'autres frappent des bouteilles de verre avec des ustensiles de cuisine ; il en résulte des sons aigus, très éloignés du grondement sourd du tam-tam, mais tout aussi efficaces pour donner le rythme. Mon désir de danser continue de s'accroître ; mais je n'arrive pas à me laisser aller.

— Pourquoi utilisez-vous des bouteilles ? N'avez-vous pas toute une gamme de tambours ?

— C'est comme ça, se contente de dire le vieil homme.

Des cris de joie remplacent tout à coup le chant mélodieux des danseurs ; trois villageois s'écartent de la foule et se mettent à se tortiller sur un rythme

endiablé. Ils forment ensemble un triangle ; il me vient aussitôt à l'esprit que cette figure est le symbole du cœur. Leur corps est animé d'un mouvement frénétique : à tour de rôle, des muscles dont je ne soupçonnais même pas l'existence se contractent, puis se détendent, à une cadence insensée. Je suis stupéfait de constater que des gens puissent parvenir à une telle maîtrise de leurs gestes ; mais peut-être, au contraire, est-ce leur corps qui les gouverne.

« La danse occupe ici une place importante, m'a écrit mon père un jour. Elle est présente dans tous les moments significatifs de la vie. En elle, en effet, se manifestent l'unité du corps et de l'âme ainsi que l'harmonie qui existe entre le visible et l'invisible. »

Je me surprends aujourd'hui à me demander où se trouve le cœur dans tout ça. Je n'ai toutefois guère le temps d'y penser : un homme masqué fait en effet irruption au milieu du cercle des danseurs qui se dispersent aussitôt dans un mouvement de frayeur. Le moment d'affolement est cependant vite passé et les villageois restent sur place, même s'ils se tiennent à une distance respectable de l'intrus : ils sont intrigués, semble-t-il, presque autant que moi.

L'homme effectue tout de suite quelques pas de danse ; mais c'est par son masque que mon regard, irrésistiblement, est d'abord attiré. On dirait la tête d'un animal dont plusieurs traits seraient humains. Les yeux sont bombés, les pommettes, saillantes ; le front est proéminent et les joues sont gonflées comme sous l'influence d'une pression venant de l'intérieur. Le masque est imperturbable ; pourtant, il me semble deviner, sous l'eau immobile de ce visage, des tumultes et des passions qui ne me laissent pas indifférent, bien que je n'en sache rien avec certitude.

— Des forces invisibles s'agitent dans l'ombre, me confie le vieil homme. Il faut pouvoir les capter avant qu'elles ne se perdent. C'est le rôle du masque.

Je n'y comprends rien et cela n'est pas pour me rassurer. Pourtant, je ne peux détacher mes yeux du danseur qui se meut avec la souplesse d'un acrobate. Je me sens hypnotisé ; et, petit à petit, je me laisse emporter par l'histoire qu'il reproduit par ses gestes. J'y vois d'abord un bébé naissant, tout petit, complètement dépendant, mais qui connaît peut-être l'autre face du monde. Vient ensuite un jeune enfant, insouciant, qui découvre peu à peu les splendeurs et les misères de cette terre des hommes. Puis c'est un adulte, trépignant d'impatience ; mais il ralentit bientôt, devenu vieux, déjà, et regarde en arrière pour tâcher de comprendre ce qui l'attend devant. Tout s'arrête enfin ; je ressens alors comme une illumination, belle et terrifiante à la fois. Le danseur masqué fait un grand saut en avant et disparaît dans la nuit.

— Il est près d'ici un homme que nous devrons bientôt aider, je le crains, si nous ne voulons pas voir son âme condamnée à l'errance, commente le vieil homme.

Je suis tellement remué que j'ai peine à entendre ses paroles. J'attends de reprendre un peu mes esprits, puis l'interroge du regard.

— La vie et la mort sont de bien grands mystères, se borne-t-il à ajouter.

J'aimerais en savoir un peu plus ; mais il me fait comprendre qu'il ne veut pas s'étendre plus longtemps sur le sujet.

— Ne sois pas trop pressé de tout saisir, me conseille-t-il. Bien sûr, la nuit est longue ; mais la lumière du jour vient immanquablement.

Le départ du masque a laissé un grand vide. Les musiciens se sont tus et personne ne paraît pressé de se remettre à danser. Les gens discutent avec effervescence ; je suppose qu'ils sont occupés à commenter la scène à laquelle ils viennent d'assister. Je réalise tout à coup que ce rassemblement n'a sans doute aucun lien avec mon arrivée ; de toute évidence, on veut plutôt souligner un événement qui revêt une importance particulière dans la vie du village. Cette idée me déçoit.

— Tout cela n'a rien à voir avec ma présence ici, n'est-ce pas ?

Le vieil homme me regarde bizarrement.

— De quoi parles-tu ?

Il le sait pourtant bien.

— La fête, le masque…

Il rit.

— Les Blancs sont donc tous les mêmes…

Je ne saisis pas très bien où il veut en venir.

— Pourquoi t'efforces-tu de nier l'évidence ? Comment pourras-tu jamais rien trouver avec une telle attitude ?

Je me sens un peu mal à l'aise. Il prend une courte pause avant de continuer.

— Tu sais bien que tout le monde était au courant de ta venue, dit-il en souriant.

Je le regarde fixement, incrédule.

— Que me racontez-vous là ?

Je ne veux pas être dupe ; mais il n'a pas l'air de vouloir me berner.

— Il n'y a là rien de surprenant. Une femme d'un village voisin a eu la vision de ton arrivée dans un rêve.

Il s'exprime avec tant d'assurance que mon scepticisme s'en trouve un peu ébranlé.

— Comme elle jugeait que la nouvelle pouvait nous intéresser, elle a voulu nous en avertir, poursuit-il ; elle a donc envoyé un enfant pour nous prévenir.

J'hésite encore à le croire ; mais je crains ce faisant de perdre un peu de son estime. J'essaie de regagner sa confiance.

— Ce village est loin ?

— À une dizaine de kilomètres.

— Il est venu à pied ?

— Bien sûr.

Je fronce les sourcils.

— Tu parais surpris qu'on puisse marcher quelques heures pour rapporter un rêve qu'on a fait durant la nuit, reprend-il. Un tel événement n'est pourtant pas rare ici. Il ne viendrait à personne l'idée de s'en étonner.

Je ne bronche pas. Je regarde la lune, toute ronde, qui éclaire la nuit d'une belle lueur rendant presque inutiles les quelques lampes dispersées entre les étals qui délimitent le pourtour de la place.

— Que nous importe, conclut-il, puisque tu es maintenant parmi nous. Tu dois avoir faim. Viens, nous allons manger un peu.

Chapitre VII

Un plat de *foutou*

Le vieil homme me fait signe de le suivre. J'ai à peine le temps de lui emboîter le pas que déjà un enfant accourt derrière nous. Je reconnais Kouakou. Il me donne la main.

— Il t'a déjà adopté.

Nous marchons, main dans la main, sur les pas du vieil homme. Il quitte la grand-place et nous entraîne dans un dédale de sentiers et de ruelles à travers le village.

— C'est mon fils, dit-il avec un sourire discret qui témoigne de son affection pour lui.

Je suis surpris d'apprendre qu'il a un enfant de cet âge.

— Votre épouse est bien jeune.

Il éclate de rire.

— Ton raisonnement n'est pas sans faille.

— Elle est quand même plus jeune que vous.

Il sourit.

— Les Blancs sont bizarres. Ils ont peu d'enfants, mais les veulent pour eux seuls ; et les enfants de leurs frères et sœurs ne sont pas les leurs.

— C'est votre petit-fils ?

— Il faudra te faire à notre manière. Je considère Kouakou comme mon fils ; cela devrait te suffire. C'est aussi un peu le tien puisque, désormais, nous sommes liés tous les deux.

Je n'en sais pas plus qu'avant ; mais son aveu me fait plaisir. Il m'est pourtant difficile d'y croire : nous nous connaissons à peine.

Nous atteignons bientôt le seuil de sa demeure. C'est une petite maison de terre au toit de palmes tressées ; elle est éclairée faiblement par la lueur d'une lampe à huile. Il ne m'invite pas à y entrer, mais me tend plutôt un banc de bois sur lequel il me prie de m'asseoir. C'est un banc minuscule : on le dirait fait pour des enfants. Je m'y installe comme je peux, tandis que le vieil homme prend place devant moi. Kouakou reste debout à mes côtés.

C'est un bel enfant rieur, aux yeux espiègles et au sourire moqueur. Il se met à fouiner dans mes cheveux ; je le laisse faire un moment. Mais j'écarte vite sa main, indisposé par son jeu ; il vient alors s'asseoir sur mes genoux. Il faut un certain temps avant que je parvienne à me sentir à mon aise avec lui : il n'y a pas d'enfants dans ma vie et je ne sais jamais comment me comporter avec eux. Je lui tire doucement les oreilles ; il rit. Je le fais sauter ensuite sur mes genoux ; il paraît s'amuser. Il est d'un naturel joyeux et plein de curiosité : je me demande si les enfants du froid sont aussi comme ça.

Le vieil homme nous observe avec un regard plein de tendresse.

— On voit que tu n'as pas l'habitude des enfants, dit-il en prenant un air taquin.

Il y a en lui tant de sollicitude qu'il ne me vient même pas à l'esprit de m'offusquer de son propos.

— Je suis content que tu portes attention à mon fils.

J'ai presque l'impression, pour ma part, que c'est Kouakou qui s'occupe de moi.

— Peut-être arriveras-tu ainsi à mieux comprendre les gens de mon pays, poursuit-il. Les enfants ne marchent-ils pas sur les traces de leurs parents, comme les pattes de derrière, chez un animal, suivent celles de devant ?

Cette image me plaît bien. J'imagine une fourmi qui ne pourrait avancer, parce que ses pattes postérieures refuseraient de marcher à la suite des autres.

— Prends quand même ton temps avant de nous juger, précise-t-il. Il ne sert à rien de chercher à tout prix une explication à ce que l'on ne comprend pas. Mieux vaut attendre un peu et laisser venir à soi la révélation.

Il me semble entendre parler mon père. Je songe un moment que les deux hommes se ressemblent. Cela me fait tout drôle : l'un est si blanc, l'autre, si noir de peau !

Une fillette arrive entre-temps, une table basse en équilibre sur la tête. Elle se penche en avant et la dépose au milieu de nous. Tandis que je la regarde s'exécuter, elle me sourit timidement. Elle repart ensuite à la hâte, dissimulant une partie de son visage derrière sa petite main. Kouakou disparaît à sa suite sur une galipette.

— J'espère que le repas te conviendra.

Je prétends qu'il n'a pas à s'inquiéter ; j'attends quand même, avec un peu d'appréhension, le plat qui me sera proposé. Un jour, j'ai écrit à mon père pour lui demander s'il n'avait pas vu des gens de son village manger des termites. Je voulais vérifier les dires de mes camarades de classe qui affirmaient que c'était une pratique courante dans plusieurs pays. Sa réponse m'étonna : « Il y a ici des insectes auxquels on donne le nom d'éphémère, écrivait-il, et dont les gens se nourrissent à l'occasion. Pour les capturer, on se sert de grandes calebasses remplies d'eau, au-dessus desquelles on suspend, la nuit, une lampe-tempête. Les éphémères, attirés par la lumière, se précipitent sur les parois brûlantes de la lampe. Leurs ailes se consument et ils tombent dans l'eau. On les y recueille au matin. Peut-être s'agit-il de termites : je ne m'y connais guère en matière d'insectes. Je puis toutefois t'assurer que, une fois rôties, ces petites bêtes sont savoureuses : croquantes, croustillantes à souhait ! » Je me suis plus tard demandé s'il n'avait pas voulu se moquer de moi et de mes amis. Toutefois cette année-là, je n'y songeais pas : mon père faisait pour moi figure de héros. Quoi ! il était capable de surmonter son dégoût pour se nourrir d'insectes venus des entrailles de la terre ! C'est peut-être à ce moment que j'ai commencé de l'admirer, les jours où je ne le détestais pas. Il m'a plu de croire ensuite qu'il m'avait relaté la version africaine de la mésaventure d'Icare ; comme lui, les termites payaient le prix de leur course folle vers le soleil par une chute brutale dans la mer. Aujourd'hui, je m'interroge plutôt sur les raisons qui ont motivé mon père à aborder le sujet aussi simplement : ne voulait-il pas ainsi m'apprivoiser à des valeurs qui n'auraient à voir ni avec la bravoure ni avec l'ambition ?

Une vieille dame se présente devant nous, interrompant le cours de mes réflexions. Elle nous apporte un plat qui ne ressemble en rien à l'image de mes craintes. Il faut dire que son sourire est si charmant qu'il rehausserait sans doute à mes yeux la valeur de n'importe quel mets.

— Bienvenue chez nous.

À sa façon de nous offrir le repas, je devine qu'elle en est la cuisinière.

— Mon épouse…

C'est une femme resplendissante. Elle me tend ses doigts noueux, tout rugueux dans ma main, et me fait cadeau d'un large sourire.

— Enchantée de faire votre connaissance, dit-elle.

— Enchanté moi aussi.

Elle s'éclipse déjà, coupant court à tant de politesses.

— Bon appétit.

— Merci.

Je reporte mon attention sur le plat qu'elle nous a apporté.

— C'est du *foutou*, m'apprend le vieil homme.

On dirait une grosse boule de pâte à pain.

— Il est fait de manioc et de banane plantain, m'explique-t-il. D'autres le préparent avec de l'igname. Quant à moi, je préfère le *foutou*-banane.

Je suis heureux de me voir offrir son *foutou* favori. Cela me permet d'envisager le repas de façon plus positive.

— Les gens de la ville aiment mieux le riz. Cependant il n'est pas très apprécié dans la brousse : les grains sont si petits qu'ils glissent entre les doigts. Comment un aliment si fluide pourrait-il remplir la panse ? dit-il en se tapotant le ventre comme pour bien souligner le sens de ses paroles.

Il rit. Son épouse nous revient avec un plat de sauce où baignent quelques morceaux de viande. Je la regarde encore. Elle a un visage d'une telle expressivité, rayonnant d'un bonheur qui me semble si parfait ! Cet apparent bien-être n'est-il que le fruit de mon imagination ? Peut-être mon impression dépend-elle de l'étonnement que je ressens chaque fois que m'est donnée l'occasion de rencontrer quelqu'un qui ne paraît pas avoir tendance, comme moi, à s'apitoyer sur son sort. On devine en effet, à scruter cette femme avec attention, que sa vie n'a pas toujours été facile. Cette sensation tient peut-être à ses bras trop maigres, à son dos légèrement voûté ou à son front couvert de rides ; à moins que cela ne vienne de son regard profond, ou du sentiment qu'une telle paix intérieure ne puisse exister sans qu'on ait connu la souffrance.

L'épouse du vieil homme est suivie par la petite fille ; celle-ci porte un seau d'eau à la main. Elle le dépose à mes pieds et s'en retourne sur ses pas, accrochée aux pagnes de son aînée.

— Lave-toi la main, m'ordonne le vieil homme.

Je trouve un bloc de savon au fond de l'eau. Je me nettoie les mains, puis les essuie négligemment sur mon pantalon. Le vieil homme s'empare du savon à son tour. Je remarque qu'il ne lave que sa main droite.

— Après toi, dit-il.

Je ne sais trop par où commencer. Puisque je ne vois aucun ustensile devant moi, j'en déduis que je dois me servir à main nue. Il n'y a pas d'assiettes non plus : de toute évidence, nous devons partager le même plat. J'avance une main incertaine vers le *foutou*. Le vieil homme interrompt mon geste.

— Sers-toi uniquement de ta main droite, me conseille-t-il.

Je retire ma main et le regarde, un peu surpris. Il me fait alors comprendre que la main gauche est réservée à des usages incompatibles avec la prise d'aliments.

— Allez, dit-il. Qu'est-ce que tu attends ?

J'hésite encore une seconde.

— C'est bon, je vais te montrer comment il faut faire. Je romps ainsi avec la bienséance qui voudrait que je te laisse te servir en premier ; mais si j'attends après toi, nous risquons d'être encore ici demain.

Il a un sourire.

— Or pour pouvoir être sage, il faut d'abord avoir mangé, poursuit-il. Je ne veux pas mourir de faim.

Il découpe un morceau de *foutou*, habilement, du bout des doigts. Puis il le trempe dans la sauce et le porte rapidement à ses lèvres. J'essaie de l'imiter ; mais la pâte reste collée à mes doigts et la sauce dégouline partout sur la table avant que j'aie le temps de porter la nourriture à ma bouche.

Le vieil homme rit un peu de ma maladresse.

— Ça viendra, soutient-il, éprouvant un malin plaisir à pouvoir me narguer. Tu t'habitueras, toi aussi.

Je ne porte guère attention à ce qu'il dit : je suis livré tout entier au feu qui soudain me consume. J'ai les papilles en flammes !

Je m'étouffe, puis aspire l'air à grandes bouffées pour tâcher d'éteindre le brasier. Je n'ai jamais rien mangé d'aussi pimenté.

— La première bouchée est la plus difficile à avaler. Prends-en encore un peu : ça passera.

Je risque une autre bouchée, m'habituant peu à peu à la sensation de brûlure qui a envahi ma bouche, et dont je ressens le picotement jusqu'à mes lèvres. Je sue à grosses gouttes. Le vieil homme trie les morceaux de viande et dépose devant moi ce qui m'apparaît être la meilleure part. Je n'ose pas lui demander de quel gibier il s'agit.

Je songe encore au peuple de la reine Pokou. Je me demande si on mangeait de la même façon, à l'époque, au royaume des Ashantis. Avait-on déjà découvert le manioc ? S'en servait-on pour faire le *foutou* ? Les gens mangeaient-ils tous ensemble dans le même plat ? Peut-être, sans m'en rendre compte, suis-je en train de refaire le chemin de Pokou à l'envers. J'essaie de comprendre le sacrifice de son fils. Comment a-t-elle pu se résigner à un geste aussi cruel ? Il se pourrait qu'une partie de la réponse se trouve ici, sur la rive orientale du fleuve.

— Tu n'aimes pas le *foutou* ? dit le vieil homme, constatant que je n'ai presque rien mangé.

— Je n'ai pas l'habitude du piment.

— On n'en trouve pas chez vous ?

— Très peu.

Je le vois dévorer sa portion avec un plaisir manifeste. J'essaie de faire encore un effort. Quand j'étais petit, il fallait me forcer pour que j'accepte de finir ma purée de carottes ; je faisais tout pour reporter le moment où il faudrait m'y résoudre. Avec ma cuillère, je creusais un cratère au milieu de la purée et le remplissais de sauce. Ce volcan érigé, je traçais tout autour des lignes de labour avec ma fourchette. Il m'arrivait même de construire un château dont je découpais les murs au couteau. Seule la promesse d'un dessert pouvait me détourner de ce jeu et m'encourager à terminer mon assiette. Il me vient l'idée farfelue que c'est peut-être la perspective d'une récompense de la sorte qui, pour le moment, me pousse à manger encore. J'en voulais tellement à ma mère, à l'époque, de m'obliger à avaler ce dont je n'avais pas envie ; curieusement, je mangerais bien des carottes aujourd'hui.

Je prends encore quelques bouchées. À force de pignocher, je finis par m'habituer un peu à ces saveurs et à ces textures nouvelles. Je suis toutefois vite rassasié.

— Merci, dis-je à mon hôte.

— Ne nous remercie pas. C'est du plaisir que l'on met à dévorer ce qu'elle nous donne que la cuisinière tire sa fierté, et non pas des politesses qu'on lui adresse ensuite.

Je crains de ne pas faire bonne impression auprès d'elle. Quand elle vient reprendre les plats, j'essaie de lui sourire un peu, non sans embarras. Contre toute attente, elle m'offre en retour un sourire radieux. Je songe que le visage de ma mère pourrait lui ressembler si elle savait toujours sourire ; mais il y a si longtemps que je ne l'ai pas vue le faire que je me demande si elle pourrait encore y arriver. À mon grand étonnement, je ne ressens à cette pensée ni sentiment d'oppression ni sensation d'étouffement. Pour peu, je me rirais des cauchemars de ma jeune adolescence où je voyais ma mère se transformer : en ourse une nuit, en louve la suivante. Pourtant, l'image d'une femme qui me salue d'un petit geste du bras, un mouchoir froissé à la main, n'arrive pas vraiment à s'imposer à moi. Longtemps, j'ai voulu voir en elle un peu de chaleur et d'affection, de la nourriture et un abri ; mais je n'y suis jamais parvenu.

Le tam-tam s'est tu. Le village s'apaise peu à peu. Les cris des enfants s'éteignent. Seuls le bruit des casseroles et le rire de quelques hommes résonnent encore dans la nuit.

— Notre existence est remplie de mystères, laisse tomber le vieil homme. N'est-il pas merveilleux de nous trouver ensemble, toi, fils du nord, et moi, vieux père des tropiques ?

Je songe à ce destin qui nous rassemble alors que tout semblait devoir nous séparer.

— Tu es Blanc, je suis Noir, et nous venons de partager le même repas. La vie nous réserve parfois d'agréables surprises.

Chapitre VIII

De l'usage d'un savon et d'un seau d'eau

Le repas terminé, le vieil homme s'éclipse après m'avoir prié de l'attendre un moment. Je me retrouve seul quelque temps ; cela me fait du bien. Quand je suis en compagnie de gens que je connais à peine, j'ai parfois l'impression qu'il me faut faire un effort pour leur plaire. J'en perds ma quiétude et n'arrive plus à me sentir tout à fait à mon aise. Le vieil homme parti, je n'ai soudain plus personne à charmer ; je me détends.

J'éprouve, à me trouver dans cette cour à mille lieues de chez moi, une étrange sensation. Tout y est si différent de ce que je connais. La maison est construite de lattes de bois entrecroisées et recouvertes d'une terre argileuse qui craquelle. De petites ouvertures y tiennent lieu de fenêtres ; on peut les fermer à l'aide de panneaux de bois. Le toit est formé de grandes feuilles de palmier, étroitement liées entre elles par un fil de raphia. La porte est de métal.

À quelques pas de la maison, une paillote abrite la cuisine. Elle est constituée d'un toit de palmes soutenu par des poteaux de bambou de longueurs inégales. Quelques briques de terre cuite y délimitent un lieu pour le feu ; des marmites et des ustensiles divers y jonchent le sol. On y trouve également des mortiers et quelques pilons.

C'est aussi à l'extérieur de la maison qu'est situé l'espace réservé à la douche. Pour préserver l'intimité des gens qui se lavent, on y a construit un petit ouvrage de terre comportant trois murs à angle droit. Une autre installation, similaire en apparence, est située dans le coin le plus retiré de la cour ; je suppose qu'il s'agit des toilettes. Quant à la cour elle-même, qui n'est entourée d'aucune clôture, elle ne comprend ni pelouse ni parterre ; on y marche à même le sol nu, sur une terre durcie d'où le moindre brin d'herbe a été extirpé. Des bananiers et un papayer poussent sur le pourtour ; sans doute les enfants se régalent-ils, à l'occasion, de leurs fruits frais. Quelques arbustes décorent la façade de la maison. Au beau milieu du terrain, se dresse un arbre à large couronne ; peut-être profite-t-on de son ombre en après-midi pour se reposer un peu. Mais il y a aussi de petits bancs disséminés aux quatre coins de la cour, des sandales abandonnées sur le pas de la porte, un ballon qui traîne sur le sol…

Je contemple ce décor et ne puis m'empêcher de songer que si, en apparence, tout ici diffère de ce à quoi je suis accoutumé, tout y est aussi semblable. C'est pourtant la première fois que j'ai l'occasion d'entrer aussi loin dans l'intimité d'une famille de ce pays. Lors de mon précédent voyage, mon père avait choisi, à ma grande déception, de me trimbaler d'une ville à l'autre sans m'offrir d'autres toits que ceux des hôtels où font halte les touristes. Quand nous nous sommes arrêtés au bord du grand fleuve, aux derniers jours de ma visite, il me confia pourtant: « Tu vois ce pays ? » De son bras droit, il peignait un vaste demi-cercle englobant toute la rive gauche du cours d'eau. « C'est là que je vis. » Il refusa toutefois de m'y emmener. Longtemps, j'ai cru qu'il avait agi ainsi parce qu'il ne me croyait pas capable d'affronter les périls de la jungle ; je voulais mourir tellement j'avais honte. C'est peut-être à ce moment-là que j'ai commencé à désespérer de moi-même. Par la suite, il m'est arrivé de penser que mon père brûlait d'envie de partager avec moi le lieu de sa nouvelle vie, mais que des circonstances incontrôlables l'en empêchaient. J'ai pris l'avion et je suis retourné chez ma mère, sans comprendre pourquoi il m'avait tenu à l'écart de ce qui paraissait avoir pour lui tant d'importance. Peut-être n'était-il pas conscient de le faire ; mais je lui en ai toujours voulu. Comment pouvait-il prétendre m'aimer alors qu'il ne m'était même pas donné de participer à ce qui lui tenait à cœur ?

Le retour du vieil homme m'empêche de ruminer plus longtemps mes vieilles rancunes.

— Tu voudras sans doute te laver de la poussière du voyage...

Je pense que cela me ferait le plus grand bien. La route a été longue, la chaleur, torride, et je sens que la sueur m'est restée collée à la peau.

— Ce n'est pas de refus.

— On a déjà préparé tout ce dont tu as besoin. Je vais te montrer les lieux.

Nous nous dirigeons vers le coin destiné à la douche, où une jeune femme est en train de déposer un seau d'eau.

— Tu vas rencontrer ma fille.

Puis, voyant que je m'interroge :

— Ma nièce, si tu préfères.

Elle porte un chemisier blanc et deux pagnes colorés sont enroulés autour de sa taille. Elle n'est pas très grande, et pas bien grosse non plus, mais ses épaules sont fortes, ses hanches, rondes et ses jambes, fermes et musclées. Elle a de jolies fesses rebondies. Cela dépend peut-être de son maintien : elle arque le dos et cambre les reins, ce qui a pour effet de mettre sa croupe en évidence. Je ne veux toutefois pas trop y attarder les yeux, de peur d'offenser sa pudeur.

Elle se retourne et pose les yeux sur moi. Elle a le regard vif, presque lumineux. Sous la pâle lueur de la lampe qui éclaire la cour, sa peau paraît lisse, sans une ride. Elle n'a pas tressé ni lissé ses cheveux, courts et crépus. Je songe aux cheveux de Kouakou qui rebondissaient dans ma main.

— Bon, je te laisse, fait le vieil homme. À tout à l'heure.

Elle me tend la main. Je suis surpris de la trouver si chaude. Je sens la chaleur monter le long de mon bras, puis atteindre mon cou. Je pense encore à Kouakou, trépignant d'enthousiasme quand il montrait sa main à ses camarades après avoir serré la mienne. J'aurais presque envie de faire de même.

— Comment vas-tu ? dit-elle.

Je suis surpris qu'elle me tutoie. Il n'y a pourtant là rien d'exceptionnel : son oncle, avant elle, me tutoyait aussi. Voilà déjà que je cherche entre elle et moi des signes d'une connivence qui ne saurait exister. J'ai parfois tendance à me laisser emporter par mes rêveries.

— Je vais bien. Et toi?

Il me fait tout drôle de la tutoyer à mon tour. Je n'ai pourtant jamais vouvoyé personne qui ne soit mon aîné de plusieurs années.

— Je suis en pleine forme.

Son regard me fascine. Sans doute en est-elle consciente, puisqu'elle baisse un peu les yeux, comme si elle était gênée tout à coup. Je suis pourtant convaincu qu'il ne s'agit pas de timidité.

— Je t'ai apporté un seau d'eau et une serviette, dit-elle.

Elle détache ensuite une des pièces de tissu qui lui serrent les hanches.

— Voici un pagne pour te mettre à l'abri des regards indiscrets, dit-elle sur un ton qui n'est pas dénué de malice.

Elle sourit imperceptiblement.

— Tu trouveras une éponge et un savon sur le mur.

Je pénètre dans l'espace qui tient lieu de douche. C'est une structure qui fait à peine cinq pieds de haut et ne comporte pas de toit, si bien qu'il m'est facile d'observer de l'intérieur ce qui se passe au-dehors. Pour l'instant, il y a la nièce du vieil homme, qui reste plantée devant l'ouverture et m'examine sans retenue. J'hésite à me déshabiller en sa présence. Ce n'est pas que je sois si prude; mais il me semble qu'agir de la sorte serait déplacé.

— N'oublie pas de fermer la porte, dit-elle.

Je saisis à l'instant que c'est le pagne qu'elle m'a prêté qui doit servir de rideau de douche. Elle rit. Je ne doute pas qu'elle ait perçu mon embarras; cela m'indispose un peu.

J'installe le tissu sur un bout de bois qui a été mis en travers de la porte expressément pour ça. J'enlève ensuite mes vêtements et les pose à côté du pagne. Je note que celui-ci est imprimé de motifs divers représentant de petits poissons ; sans doute est-il conçu spécialement pour l'occasion.

Quand j'ai fini d'examiner le pagne, je me rends compte que la nièce du vieil homme est toujours là, comme s'il fallait absolument qu'elle me tienne compagnie. Je ne suis pas sans en éprouver un certain malaise. Il me fait tout drôle de penser que je suis nu à ses côtés. Il y a bien un rideau de coton pour nous séparer ; mais il me paraît bien mince tout à coup.

— Et ce voyage ? dit-elle.

Ses lèvres sont charnues. J'aurais le goût d'y mordre à pleine dents.

— Ça s'est très bien passé, merci.

Je n'entre pas dans les détails, essayant plutôt de réfléchir au moyen de me laver convenablement, bien que je ne dispose que de l'eau d'un seul seau pour ce faire. Je ne sais trop comment m'y prendre et j'ai peur que cela ne se remarque. Or l'idée que l'on puisse percevoir mon hésitation suffit généralement à m'inhiber.

— Et ta famille ?

Je crains de ne jamais pouvoir me doucher tranquille. Mais sa voix est douce et chaleureuse. Aussi n'ai-je pas vraiment envie qu'elle s'en aille.

— Elle se porte bien.

— Et tes vieux ?

Je comprends au ton qu'elle emploie que ce terme n'est pas désobligeant envers mes parents.

— Ils vont bien, dis-je bien que je n'en sache rien.

Je plonge ma main gauche dans le seau et entreprend de m'asperger d'eau. Elle est fraîche; cela me fait du bien. Je prends le bloc de savon et me frotte avec énergie. Je deviens vite couvert de mousse.

— Et ta femme?

Elle ne paraît pas vouloir arrêter son interrogatoire. Je la fixe des yeux, mais détourne rapidement la tête, troublé par l'intensité de son regard.

— Et ta femme? insiste-t-elle. Elle va bien?

Cette question, à sa bouche, m'amuse un peu.

— Je suis sans épouse.

— Tu n'es pas marié? Pourquoi?

Il me semble qu'elle est soudainement suspendue à mes lèvres. Je réponds par un haussement d'épaules. Puis je badine.

— Les femmes ne veulent pas de moi.

Je n'ai pas l'habitude de céder si facilement à la plaisanterie; je suis tout surpris de m'être senti assez à l'aise, une seconde, pour le faire.

Elle s'esclaffe.

— Tu ne les satisfais pas? demande-t-elle amusée.

— Il ne s'agit pas de cela...

Je rougis jusqu'aux oreilles. Elle pouffe de rire; son rire me plaît beaucoup. Je sens une légère tension s'insinuer dans mon bas-ventre; j'en suis un peu embarrassé. Pour tenter d'y couper court, je plonge la tête dans l'eau, puis cherche un shampooing pour me laver les cheveux. Je n'en trouve pas: je dois me résigner à utiliser le savon. J'en fais abondamment usage et frotte vigoureusement mon cuir chevelu. J'y mets même tellement de bonne volonté que j'ai bientôt du savon plein les yeux.

— Et tes enfants ? demande-t-elle encore.

Le savon me pique les yeux.

— Je n'en ai pas.

— Tu es sans enfants ! À ton âge !

Son commentaire me surprend : j'ai à peine trente ans et n'ai jamais songé sérieusement avoir des enfants. Mais c'est peut-être ici inhabituel.

J'aimerais que la conversation s'arrête là, mais mon interlocutrice paraît vouloir en savoir davantage.

— Pourquoi ?

Que puis-je répondre ? Que je ne voudrais pas répéter les erreurs de mon père ? Que j'ai peur de ne pas être à la hauteur des attentes de mes enfants ? Que je crèverais de les entendre dire un jour : « Quel est cet inconnu dont le souvenir nous blesse ? » Je m'arrose avec un peu d'eau pour me débarrasser du savon peu à peu.

— Je ne sais pas, dis-je, vaincu.

— Tu n'aimes pas les enfants ?

— Mais bien sûr. C'est que...

Elle n'a que faire de mes justifications.

— Ce n'est pas bien, tu sais, ce que tu me dis là. Il faudra que l'on s'occupe de toi.

Je verse toute l'eau qu'il me reste, d'un seul coup, sur ma tête. Puis je la regarde dégouliner lentement sur mon corps.

— Et toi, dis-moi, tu es mariée ?

Elle ne me répond pas.

— Tu as des enfants ?

Elle rit.

— Mais non.

Tandis qu'elle rit, elle renverse la tête en arrière, découvrant la chair fraîche de son cou. Il me vient l'envie subite de m'y réfugier. Cela ne guérirait sans doute en rien ma blessure ; mais peut-être me sentirais-je un peu mieux.

— Je vois que tu as fait connaissance avec Léa, dit alors le vieil homme.

Je sursaute : je ne l'avais pas vu arriver.

— Prends-en bien soin, ajoute-t-il en souriant : elle est comme ma fille. Vous aurez plus tard l'occasion de lier amitié. Pour l'instant, j'aimerais que tu m'accompagnes. Rhabille-toi et viens me trouver.

Il s'en va sur ces mots. Léa en profite pour me quitter elle aussi, non sans m'avoir auparavant adressé un sourire épanoui. Je le lui rends aussitôt ; mais j'ai l'impression que mon sourire est bien terne en comparaison.

Je la regarde s'éloigner dans un roulement de hanches. Sa démarche est majestueuse. Mais peut-être mon regard, dans les circonstances, a-t-il tendance à magnifier ce qu'il voit.

Chapitre IX

Le *koutoukou*

Je suis le vieil homme à travers le village. Nous empruntons un sentier qui serpente entre les cases et les taillis d'arbustes. Par moments, nous progressons au pied de grands bananiers ; plus loin, nous frôlons des tiges de manioc. Puis le chemin débouche au milieu d'une cour où des gens sont réunis ; le vieil homme y pénètre comme s'il était chez lui.

— Bonsoir, dit-il.

Il ajoute un mot dans la langue du pays ; les gens lui répondent brièvement. Il n'a pas ralenti sa cadence et je le vois contourner le groupe pour se diriger d'un pas décidé vers le sentier qui se poursuit de l'autre côté de la cour. Je m'empresse de le rejoindre, un peu gêné de devoir passer devant les habitants pour cela. J'ai l'impression de violer leur intimité ; mais ils ne paraissent même pas y songer.

— Tu devrais t'efforcer de parler notre langue, me conseille le vieil homme quand nous avons regagné l'ombre du sentier. Comment peux-tu croiser des gens sans avoir un mot pour eux ?

Je suis confus. J'ai envie de répliquer que je n'ai rien à leur dire ; mais ce ne serait pas du tout honnête.

— Je ne demande qu'à apprendre.

Il sourit.

— La plupart des étrangers ne nous témoignent pas tant de respect.

Son regard s'assombrit soudain ; mais il se ressaisit rapidement et me prend par l'épaule.

— Si tu le désires, il me fera plaisir de t'enseigner les rudiments de la conversation. Celui qui sait parler n'est jamais seul, conclut-il.

Je lui souris à mon tour.

— Pour l'instant, nous avons mieux à faire. Je commence à avoir soif, dit-il en clignant de l'œil.

Il prend les devants et nous poursuivons notre route en silence. Nous arrivons bientôt au seuil d'une maison où quelques vieillards, assis sur de grands bancs de bois aux pattes inégales, perdent leur temps en bruyants bavardages. L'un d'entre eux se lève aussitôt pour venir à notre rencontre. Je le salue ; mais il ne me répond pas et m'invite plutôt à prendre place au milieu de la compagnie. Ce n'est que lorsque je suis assis qu'il m'adresse finalement la parole. Je sais qu'il espère une réponse ; mais je ne comprends rien à son langage et ne sais que lui dire.

— Bonsoir, réussis-je enfin à articuler.

Le vieillard me sourit et prononce encore quelques mots dans sa langue maternelle. Puis il vient me serrer la main.

— Je te présente mon père, intervient alors le vieil homme.

Je note qu'il s'est exprimé avec une déférence pleine de réserve, mais non pas dépourvue de chaleur.

— Enchanté, dis-je.

— Je suis ravi de faire ta connaissance. Sois le bienvenu parmi nous.

Je suis heureux de l'entendre enfin s'exprimer en français ; mais je suis tout de même un peu surpris qu'un homme de cet âge connaisse si bien ma langue. Je l'examine un peu. C'est un être fier qui s'abstient toutefois de montrer un air hautain. Il paraît encore plus âgé que mon guide, auquel il ressemble en plusieurs traits du visage. Je constate qu'ils sont tous deux vêtus du même grand pagne à carreaux. Chaque carré comporte plusieurs lignes d'orangé, mais aussi quelques traits de vert, de rouge et de bleu. On dirait le costume d'un roi laboureur.

— C'est mon oncle maternel, précise le vieil homme. Par conséquent, il représente plus encore pour moi que s'il était mon propre père.

Cette affirmation me laisse perplexe. Il paraît en être conscient, puisqu'il ajoute aussitôt :

— Je sais, tu ne comprends pas ce genre de choses...

Il ne se trompe pas. Depuis mon arrivée dans ce pays, j'ai essayé de saisir ce que signifie ici la notion de famille ; je n'y arrive pas. Il faut dire que mon oncle n'a jamais montré le moindre intérêt pour les enfants de sa sœur ; il n'a même pas daigné prendre un peu de la place laissée vacante par le départ de mon père. Je ne lui en ai certes jamais porté rigueur, tellement il me répugne avec ses airs de matador. Peut-être même lui dois-je un peu d'avoir longtemps préféré la liberté que m'accorde la solitude au plaisir qu'il prétend ressentir à se trouver en la compagnie des hommes. Aujourd'hui, je ne supporte plus d'être seul ; mais je ne sais pas encore où trouver la chaleur dont j'ai besoin.

— Je me réjouis de ce que mon fils ait pris l'initiative de t'emmener au village, affirme le vieillard avec cérémonie.

Tout le monde s'est tu pour l'écouter.

— Sache aussi que j'apprécie grandement que tu aies accepté son invitation, ajoute-t-il.

Je me contente de sourire en guise de remerciement.

— Il est l'ancien chef de notre village, m'apprend alors le vieil homme. Un jour, il a jugé que j'étais prêt à assumer cette charge à mon tour ; il a donc démissionné en ma faveur. Je fais toutefois appel à lui pour les décisions les plus importantes.

Le vieux chef incline doucement la tête, comme pour confirmer la véracité de ces dires. Ceux-ci ont éveillé ma curiosité : je me mets à le considérer avec un peu plus d'attention. Il me semble plus nerveux que mon guide. Peut-être même y a-t-il quelque part en lui une rage contenue. Je suis frappé par la vivacité de son regard : ses yeux paraissent si pleins de vie que je suis tout surpris de constater soudain qu'il n'a presque plus de dents.

— Mon père aurait dû t'être présenté dès ton arrivée, poursuit le vieil homme, mais il fuit les honneurs.

Le vieux chef ne laisse pas à son neveu l'occasion de faire plus longtemps son éloge ; il entreprend de me présenter les femmes et les hommes qui sont avec lui. Puis il fait signe au plus jeune d'entre eux de venir jusqu'à nous.

— Sers à boire à notre invité, lui demande-t-il.

Je remarque à cet instant que le jeune homme tient une bouteille de verre à la main. À la mine enjouée ou plutôt amochée de quelques-uns des vieillards, je devine qu'il s'agit d'une boisson fortement alcoolisée. Il remplit un petit verre et me l'offre aussitôt.

— Bois, dit le vieux chef.

Je crois voir un léger sourire se dessiner sur son visage ; on dirait qu'il s'apprête à se moquer de moi. Je me méfie donc un peu : je ne bois que du bout des lèvres. C'est un alcool très puissant ; je le garde longtemps dans la bouche avant de l'avaler. L'eau de vie répand sa chaleur au creux de ma poitrine.

— Tu fais semblant de boire, se plaint-il, le sourire aux lèvres.

Je veux protester, mais le vieil homme se met lui aussi de la partie.

— Yapo ne se laissait pas prier autant. Dès le premier soir, à lui seul, il avait bu une bouteille entière.

Tout le monde s'esclaffe. Je ne connais pas le dénommé Yapo ; mais il lui fallait un solide gosier pour pouvoir boire comme le prétend mon hôte. Mon intuition me dit que ces propos sont exagérés ; mais je semble le seul à le croire.

— Les choses ont bien changé depuis, ajoute-t-il ensuite, l'air songeur.

Il y a au fond de ses yeux une vague tristesse. Je me rends compte que les rires ont cessé.

— Mais nous n'y pouvons pas grand-chose. Allez, il faut boire à présent.

Je lui obéis. La chaleur de l'alcool irradie de ma poitrine dans chacune des parties de mon corps.

— Te voilà initié au *koutoukou*, approuve le vieil homme.

Il réfléchit un moment.

— On le distille à partir du vin de palme, dit-il enfin. Pour la plupart d'entre nous, ce n'est qu'une boisson comme les autres. Tout au plus nous permet-elle à l'occasion de nous libérer de certaines de nos inhibitions ; dans le meilleur des cas, elle fait converger vers notre esprit des connaissances oubliées au fin fond de notre mémoire.

Il fait une courte pause avant de continuer.

— Pour d'autres, cependant, c'est une boisson sacrée. Une portion de chaque verre doit être offerte aux ancêtres, qui appartiennent au monde de cette eau recelant les puissances secrètes de l'âme. L'autre part est celle du feu qui gouverne les passions charnelles.

Un long murmure accompagne ces propos. Il tousse un peu, s'éclaircit la voix, puis fait signe au jeune homme de lui servir un verre.

— Avant de boire, verse toujours un peu d'alcool sur le sol en offrande aux ancêtres, reprend-il joignant le geste à la parole. Le *koutoukou* te donnera alors une vitalité nouvelle, puisqu'en lui s'effectue la communion des éléments contraires que sont l'eau et le feu. La vie et la mort ne procèdent-elles pas elles aussi de cette fusion ?

Il avale le *koutoukou* d'un trait, puis secoue le verre à ses pieds.

— Fais maintenant comme je te l'ai appris.

Le jeune homme remplit mon verre de nouveau. Je répands quelques gouttes d'alcool devant moi sur le sable, puis vide ma portion à petites gorgées. Un grand trouble s'empare alors de moi, comme si je saisissais tout à coup à quel point la portée de ce geste rituel me dépasse. J'ai le sentiment que je peux y gagner quelque chose ; mais je crains aussi que ce gain s'accompagne d'une douloureuse perte.

J'atteins bientôt le fond de mon verre. Il n'y reste que quelques gouttes : je les verse sur le sol. Je veux en effacer la trace d'un coup de pied ; mais le vieil homme m'en empêche.

— Attends.

Le vieux chef s'accroupit et entreprend l'analyse du dessin formé par les gouttes d'alcool dispersées sur l'argile. Un lourd silence s'abat sur l'assemblée. L'homme met longtemps avant de se relever.

— Qu'y est-il écrit ? interroge le vieil homme.

Le vieux chef ne répond pas tout de suite. Il respire lentement, puis annonce, sans nous regarder :

— Le cœur de Yapo est malade. Il est consumé par les flammes.

Il jette un bref coup d'œil sur son neveu. Puis il lui prend la main.

— Le feu va bientôt détruire son enveloppe matérielle, poursuit-il, le regard affligé.

Le vieil homme paraît atterré. Il baisse un peu les yeux ; il me semble que tout son corps est courbé vers le sol, comme s'il subissait le poids d'un immense fardeau.

— Ainsi, dit-il après un long moment de silence, nous ne nous étions pas trompés. C'est pour ça que le masque est venu.

Les deux hommes s'absorbent quelque temps dans leurs pensées.

— Y a-t-il quoi que ce soit que nous puissions faire pour l'aider ? reprend le vieil homme. Qu'y est-il écrit ?

— Yapo devra retourner à l'eau du grand fleuve. C'est alors seulement qu'il pourra renaître. Il n'y a pas d'autre façon.

Le vieux chef tourne ensuite les yeux vers moi. Il me regarde intensément, comme s'il cherchait à lire en moi.

— Mais nous pouvons laisser les choses s'accomplir d'elles-mêmes, ajoute-t-il enfin.

Chapitre X

Une modeste chambre

La lune est haute dans le ciel. On n'entend pas un bruit. Une chauve-souris me frôle de ses ailes et je tressaille un moment, songeant aux vampires qui hantaient les tropiques de mes rêves d'enfant. Je me remets toutefois bien vite de ma surprise et savoure tranquillement le calme où repose le village endormi. Nous ne disons plus rien, le vieil homme et moi, mais le silence ne me pèse pas : je sais que mon hôte apprécie lui aussi cet instant de répit. Mon père n'était pas différent ; c'est sans doute la raison pour laquelle ma mère ne m'a jamais pardonné mon mutisme. Avec elle, il fallait parler sans cesse, comme si les mots pouvaient cacher le malaise que nous ressentions à nous trouver ensemble. Il est vrai qu'elle devait reconnaître en moi plusieurs traits de caractère de mon père. Comme il l'avait beaucoup fait souffrir, ces traits ne pouvaient que lui déplaire ; mais cette idée n'était peut-être pour moi qu'une façon de plus de me défiler.

— Je vais te montrer ta chambre pour la nuit, me dit le vieil homme interrompant ce long moment de pause.

Il se dresse lentement de son siège. Je me lève à mon tour et m'apprête à le suivre dans sa demeure, mais il m'entraîne plutôt dans la cour voisine, où une femme de petite taille est assise sur une chaise en bois brut. Elle n'a pour tout vêtement qu'un immense soutien-gorge et un large pagne qui lui ceint la taille; mais elle ne semble éprouver aucune gêne à nous accueillir ainsi vêtue.

Le vieil homme échange avec elle quelques mots à voix basse. Aux coups d'œil qu'elle me jette, je devine que certains de leurs propos me concernent. Peu de temps après, elle me sourit avec aménité. Je voudrais faire de même, mais n'y arrive pas. Je songe aux rumeurs qui couraient parmi les amis de mon enfance; on y disait qu'il est d'usage, dans certains pays, d'offrir une femme au voyageur, afin qu'il ne s'ennuie pas trop quand vient le moment de passer sa première nuit au village. Il suffit d'un regard équivoque de la dame pour que le doute en mon esprit se transforme en certitude: elle va bientôt m'inviter à partager sa couche, sans que j'aie la possibilité de décliner son offre.

— Allez, je te quitte, fait alors le vieil homme.

Je n'ose pas croire à ce qui m'arrive. J'ai l'impression de plonger dans un mauvais rêve. Je voudrais pouvoir faire le fanfaron et vanter les mérites de l'aventure qui m'attend; mais je n'y parviens pas.

— Bonne nuit, insiste-t-il.

Je suis paralysé. Une émotion complexe m'envahit: je ne puis prétendre que cette femme n'exerce sur moi aucune attirance ; mais je voudrais pouvoir choisir en toute liberté l'hôtesse de mes désirs.

— À demain.

Je ne sais toujours pas comment réagir. Aussi je fais semblant de ne rien comprendre. Le vieil homme en profite pour apporter des précisions, chassant du coup toute ambiguïté.

— Tu dormiras avec elle, m'explique-t-il en clignant de l'œil. Elle est veuve depuis peu : ta présence lui fera du bien.

Je n'ai aucune envie de passer la nuit avec cette femme ; mais je ne trouve pas les mots pour le dire. Je me sens bien petit tout à coup, si loin de mon pays, dans un milieu dont je ne connais pas les coutumes. J'en viens même à me demander ce que je suis venu faire ici : je serais si bien chez moi, allongé dans mon lit douillet, à continuer sagement la vie que j'ai toujours menée. C'est une existence un peu terne, sans doute ; mais son confort est rassurant.

— Je... je crois que j'ai besoin d'un peu de repos.

Il me regarde d'un air amusé.

— Que veux-tu dire ? Hésiterais-tu à t'abandonner à la chaleur d'une femme ?

— Bien... bien sûr que non.

Il me semble la voir poser sa main sur moi, puis me tenir sous son emprise, comme le ferait une mère avec un enfant dont le père est absent. Un instant, je crois même déceler sur son visage les traits de ma propre mère : elle a refermé ses bras sur moi et me serre si fort qu'il m'est impossible de m'échapper. Elle m'entraîne ensuite en bordure de l'eau, où elle préside à un rite sacrificiel. À la toute fin de la cérémonie, elle ordonne qu'on s'empare de moi et je suis immolé sur l'autel d'un dieu cruel.

— À moins que ce ne soit la passion qui t'effraie…

— Il ne s'agit pas de cela.

Des enfants se bousculent autour de l'autel pour assister à mon supplice et applaudissent à tout rompre quand je rends le dernier soupir.

— Elle ne te plaît pas ?

— Là n'est pas la question.

— Qu'y a-t-il, alors ?

Il y a dans sa voix un mouvement d'impatience. Je crains de l'avoir vexé. Je commets peut-être une faute irréparable en essayant de refuser la faveur qui m'est accordée.

— Mais je…

Il éclate alors d'un rire si sincère que ce rire s'empare de la femme à son tour. Je reste interdit.

— Ne t'en fais pas, dit-il enfin, la mine épanouie. Il n'a jamais été question que tu dormes avec ma voisine. Son sourire ne trahit aucune arrière-pensée, puisqu'elle ne sait strictement rien de ma plaisanterie.

Il jubile. Je n'arrive pas pour ma part à sortir de ma torpeur.

— Allez, souhaite-lui bonne nuit, que je puisse te mener à ta chambre. Il est l'heure de dormir.

Je reviens soudainement à la réalité. J'ai peine à croire qu'il ait réussi à m'abuser une fois de plus. Comme il doit rire de ma crédulité ! Je me demande si j'arriverai un jour à m'affranchir de toutes les images de ce continent que je porte en moi sans les avoir confrontées à la réalité. Mais peut-être sont-elles liées avant toute chose à l'idée que je me fais de mon père. Je l'ai d'abord imaginé fort et vertueux, bravant tous les dangers du continent sauvage avec en tête la seule pensée de nous revenir, à ma mère et à moi, sans jamais nous avoir été infidèle. Puis, le temps passant, j'en suis venu à me dire qu'il avait peut-être été victime d'une sombre machination, ensorcelé par une femme qui lui avait été imposée un jour où il se trouvait sans défense. Jamais vraiment je n'ai voulu considérer qu'il ait pu chercher de lui-même la compagnie d'une autre femme. Tout au plus me suis-je demandé si mes parents avaient bien pris la peine de se choisir l'un l'autre : je ne voulais pas me faire à l'idée que mon père pouvait avoir abandonné son fils. Je me dis parfois que je n'ai pas souffert de son départ autant qu'il y paraît. Il se pourrait même que ma plus grande douleur vienne de cette part de lui que je devine en moi, et qui me fait craindre d'être un jour absent au fils que me donnerait une femme que je n'aurais pas choisie.

Nous prenons finalement congé de la voisine, qui m'adresse un sourire des plus chastes, et retournons vers la maison de mon hôte.

— Tu dormiras dans la chambre de Léa, m'apprend-il quand nous franchissons le seuil de sa demeure.

Puis, devinant mes pensées :

— Elle s'est installée temporairement dans la chambre des enfants.

Alors qu'il y a deux minutes à peine je n'aspirais qu'à dormir seul, je me surprends à éprouver un peu de regret de ce que Léa n'ait pas daigné rester avec moi. En même temps, je ressens un grand soulagement à songer que je vais pouvoir pénétrer son intimité sans être bousculé, en me laissant doucement imprégner de la vie cachée des objets de sa chambre. Trop longtemps, mon existence a été marquée par l'absence ; je n'ai peut-être besoin que d'une présence que je puisse apprivoiser peu à peu.

Je ne discerne pas grand-chose dans l'obscurité de la maison, mais le vieil homme a tôt fait d'allumer une lampe-tempête qui inonde l'entrée d'une lumière vacillante.

— Viens. Ta chambre est par ici.

Il pousse une porte et me prie d'entrer dans la pièce.

— Fais comme chez toi, dit-il en me remettant la lampe.

— Merci.

— Allez, bonne nuit.

— Dormez bien, vous aussi.

Il ferme la porte et je reste seul dans la chambre. Je suis tout de suite frappé par la fraîcheur qui y règne. Cela tient sans doute aux propriétés de l'argile dont sont faits les murs. Ceux-ci sont presque totalement dénudés ; on n'y trouve qu'un vieux calendrier à la photo jaunie et un gros clou où sont accrochées, sans ordre apparent, quelques chemisettes. À l'exception du grand lit, qui occupe la majeure partie de l'espace, tout le reste de la chambre participe de ce dépouillement. Sur une table en bois mal équarrie, sont disposés pêle-mêle deux ou trois pagnes, une crème pour la peau, des soutiens-gorge et des petites culottes, quelques bijoux, un flacon de parfum, une bouteille de shampooing et une photo où je reconnais Léa en compagnie de deux enfants. Une chaise, sur laquelle sont empilés d'autres pagnes, complète l'ameublement. C'est une chambre sans trop d'ornements ; cela contraste avec ce à quoi je suis habitué. Je songe pourtant que rien d'essentiel n'y manque ; j'en viens presque à envier Léa, qui est si belle alors qu'elle a si peu de choses. Peut-être jouit-elle cependant d'une richesse à laquelle je n'ai jamais eu accès. Je pense au vieil homme et à sa femme, à Kouakou et aux deux enfants de la photo qui sont pendus à ses bras ; mais mon esprit s'embrouille tout à coup et je dois m'asseoir sur le lit pour arriver à calmer la douleur sourde que je sens dans mon ventre.

Je reste là quelques secondes, les yeux fermés, à écouter le souffle de ma respiration. Mais je ne veux pas trop penser au mal qui me ronge ; je rouvre les yeux et entreprend d'examiner ma couche : c'est un grand lit de bois massif, au matelas de coton, dont les draps sont formés de pagnes cousus ensemble à l'aide d'un fil blanc. Il n'y a pas de moustiquaire ; cela n'est pas pour me détendre. Je ne crains pourtant pas les insectes ; mais je préfère être épargné par le paludisme que transmettent les moustiques.

J'entends des pas dans l'entrée, puis la porte extérieure qui grince. Je ferme la lampe, me lève discrètement et jette un coup d'œil par la fenêtre étroite qui donne sur la cour. Je vois l'épouse du vieil homme déposer un plat sur le pas de la porte, puis rentrer aussitôt dans la maison.

Je ferme le panneau de bois qui tient lieu de volets, me déshabille rapidement et me glisse sous les draps. Je prête l'oreille pour m'assurer qu'aucun moustique ne se trouve dans la chambre. Je n'entends aucun bourdonnement ; cela me rassure un peu. Je songe que mon père a dû dormir dans des conditions semblables : mais a-t-il pu échapper au paludisme ? Je l'imagine, tremblant de fièvre, seul, loin des siens, désespérant de trouver jamais le repos et n'appelant plus, avec les pauvres forces qui lui restent, qu'un bref répit à sa maladie. Puis je me dis qu'on n'est sans doute jamais seul dans ce pays, qu'il y a toujours un vieil homme ou son épouse pour veiller sur soi. Peut-être même y avait-il une femme pour accompagner mon père dans les moments les plus difficiles : un jour, en effet, il avait pris pour épouse un être de la qualité de Léa, parce qu'une vie sans partage lui apparaissait soudainement dépourvue de sens. Mais a-t-il pu communier à l'existence d'une femme qui ne pouvait être que très différente de lui-même, quand il avait déjà laissé un tel gâchis derrière lui ? Je me surprends à conclure qu'il n'est jamais trop tard pour tâcher de mieux vivre sa vie.

Je délaisse peu à peu ces pensées pour me laisser envelopper par la vision d'un grand ciel étoilé : je m'assoupis lentement. Des créatures étranges viennent s'asseoir dans la cour, tout près du seuil de la maison. Elles s'emparent du plat déposé par l'épouse du vieil homme et se mettent à manger avec avidité. Elles saisissent les morceaux de manioc à pleine main, découpent habilement la viande de leurs doigts nus, croquent les os avec application pour en savourer toute la moelle, puis achèvent de boire ce qui reste de sauce en se pourléchant les babines. Elles s'en vont ensuite errer quelque temps par les rues du village, le ventre plein, le cœur joyeux, puis regagnent le bord du fleuve où elles retrouvent des créatures semblables ; mais il se trouve parfois parmi elles un être inconsolable, parce qu'il n'a rien trouvé à manger chez les siens. Ses compagnons tentent de le réconforter. Ils soutiennent que la disette est temporaire : jamais sa famille ne le laisserait sombrer dans l'oubli. Il sèche alors un peu ses larmes, mais la peur de se retrouver seul à jamais ne le quitte pas pour autant : elle reste ancrée au plus profond de lui.

Chapitre XI

Un petit lézard

Le soleil se lève à peine que déjà je m'éveille, lentement, disant adieu sans hâte à mes rêves de la nuit. Il suffit pourtant d'une seconde pour qu'ils s'évaporent ; je ne retiens d'eux que le souvenir imprécis d'un monde singulier, dont je n'ai jamais voulu percer la signification tellement je crains parfois qu'elle me bouleverse. Aussi ai-je souvent l'impression que, de toute ma vie, je ne me souviens bien que d'un rêve. Longtemps, j'ai voulu l'oublier ; mais je n'y suis jamais parvenu. J'y avais vu mon père abattre ma mère de sang-froid, puis, d'une main tremblante, diriger vers moi son arme. Curieusement, alors qu'il me tenait en joue, c'est à ma mère que j'en voulais surtout. Il avait mis beaucoup de temps avant d'appuyer sur la détente ; il était clair qu'il agissait contre son gré. Je m'étais réveillé en sursaut, juste avant que la balle ne m'atteigne. À ce moment même, mon père posait un baiser sur mon front. Dans la chambre d'à côté, ma mère se désespérait : elle geignait, lamentablement, puis laissait échapper de longs gémissements. J'avais senti de l'eau sur ma joue. C'était une larme de mon père ; moi, je ne pleurais plus, déjà. Il était parti sans un mot. Je fus des années avant de le revoir.

Je perds parfois espoir de le retrouver un jour. Mais le chant du coq qui s'élève dans la cour, annonçant le lever du jour avec une belle assurance, suffit presque à me redonner confiance. D'autres oiseaux lui répondent, qui poussent à tour de rôle des coquericos retentissants ; peut-être veulent-ils ainsi divulguer aux gens des alentours un secret dont la lumière naissante ne serait qu'une des manifestations.

Il faut peu de temps ensuite avant que les premiers bruits humains me parviennent. C'est d'abord le froissement de pieds nus qui se traînent sur le sol. Puis c'est le crissement d'un balai de paille sur l'argile de la cour. Un enfant pleure ; d'autres entonnent une comptine.

J'ouvre lentement les yeux. Un petit lézard se déplace avec agilité sur le plafond, la tête en bas. Je ne sais par quel miracle il arrive à tenir. Il se meut en tous sens, avec des gestes nerveux, comme s'il cherchait désespérément quelque chose. Son agitation cesse cependant quand il atteint un rayon de lumière qui pénètre dans la pièce par une fente dans le mur de terre. Il se trouve alors juste au-dessus de ma tête. Son corps est transparent et j'arrive à discerner ses entrailles ; j'ai un mouvement de dégoût. Je me remets toutefois bien vite de mon émotion et me dis que la présence de cet animal ne peut être que de bon augure ; il a sans doute veillé sur moi durant la nuit.

La chambre est chargée d'odeurs. Je reconnais le parfum du jasmin, une senteur d'ambre, mais également du musc et de la lavande ; ce mélange est nouveau pour moi. Et je me souviens tout à coup que je suis dans les draps de Léa, dont je respire plus aisément maintenant la présence pleine de vie, apaisante et stimulante à la fois.

Je me dresse dans le lit et contemple une fois de plus les objets de la chambre. Ils forment à eux seuls un petit univers. Mon regard s'attarde sur la photo de Léa. Elle est si souriante ! Et ces enfants agrippés à ses bras lui paraissent si attachés ! J'en éprouvais hier un profond malaise ; aujourd'hui, néanmoins, ma douleur s'apaise. Il me semble soudain que le bonheur que je devine en eux ne m'est pas interdit. Cette vie que je pressens ne m'a jamais paru aussi proche.

Je me lève sans me presser, m'étire un peu, puis ceint ma taille d'un des pagnes de Léa. Il me plaît de revêtir un de ses effets ; j'ai par là l'impression de communier un peu avec elle. Son odeur me colle à la peau comme si elle était mienne et je sens sa chaleur s'infiltrer en moi.

J'ouvre la fenêtre. Le soleil inonde la pièce. Léa cesse de balayer la cour un moment ; elle m'adresse un large sourire.

— Tu as bien dormi ?

— Très bien.

Elle se penche aussitôt sur son petit balai sans manche et poursuit son travail de nettoyage. Dans la cour voisine, une fillette porte un bébé sur son dos. Elle s'arrête quelque temps pour ajuster le pagne qui retient l'enfant ; je la vois se courber en avant de façon à déplacer tout le poids du bébé sur ses reins, détacher le pagne, puis le remettre en place en le nouant un peu plus solidement sur ses hanches. Elle se redresse ensuite et repart tranquillement, en faisant glisser nonchalamment ses deux pieds sur le sol. Le bébé se laisse bercer et gazouille comme un oiseau.

J'enfile un gilet de coton et sors de la maison. Je retrouve le vieil homme assis en plein soleil sur le pas de la porte, torse nu, un pagne semblable au mien enroulé autour de la taille.

— Bonjour.

— Bonjour. Tu as passé une bonne nuit?

— J'ai très bien dormi, merci.

Je prends place auprès de lui. Le soleil me chauffe les joues; il est bon de pouvoir profiter de ses premiers rayons.

— Je suis heureux que tu aies passé la nuit au village.

— Je vous remercie de votre hospitalité.

Un bref sourire éclaire son visage.

— Tu ne peux pas savoir tout le plaisir que tu nous fais.

Il hésite quelques secondes avant de poursuivre.

— Tu sais, j'ai vu peu de Blancs aller aussi loin pour tenter de franchir le fossé qui nous sépare.

Je ne suis pas sans percevoir la part de tristesse que révèle l'expression de pareils sentiments. On dirait que je viens d'accomplir un grand geste en acceptant simplement une invitation. J'en suis un peu chagriné; il y a cependant en lui un bonheur qui me semble si sincère qu'une petite joie prend place au fond de moi.

C'est la première fois que je vois la cour à la lumière du jour. J'ai pourtant l'impression, une seconde, d'y avoir toujours vécu. Une poule picore à mes pieds. Des lézards se dorent au soleil. La fillette des voisins baguenaude, son petit frère sur son dos. Une vieille passe, au loin, un seau d'eau en équilibre sur la tête. J'éprouve un sentiment étrange : ce qui me semblait, hier encore, étranger m'est aujourd'hui devenu presque familier.

— Si la chambre te convient, tu pourras y rester aussi longtemps qu'il te plaira.

Je me rends compte soudainement que j'espérais, sans trop me l'avouer, une parole comme celle-là.

— Ne refuse pas trop vite mon offre, ajoute-t-il ensuite comme s'il redoutait de m'entendre dire qu'il me faut partir dès maintenant pour respecter l'itinéraire que je m'étais fixé.

— Soyez sans crainte, dis-je pour le rassurer. Je vais y penser.

Il sourit. Je note qu'il y a de la rosée sur l'herbe en bordure de la cour ; il ne fait pourtant pas froid. Un jeune coq au plumage ébouriffé prend en charge de déloger la poule qui cherche sa nourriture à mes pieds ; elle s'enfuit à toutes jambes, affolée, en poussant des gloussements d'indignation. Je réalise soudain que je suis libéré de mes craintes de la veille et ne me sens pas du tout pressé de repartir. Il me semble qu'il y a ici tant de choses à voir et à entendre.

— Je peux rester encore une heure ou deux, si vous n'y voyez pas d'inconvénients…

— Reste, puisque tu en as envie. Ne te laisse pas dominer par ta montre, qui ne sait rien faire si ce n'est nous brusquer.

Son regard paraît soudainement se voiler.

— Sans le calendrier des Blancs, disait ma mère autrefois, nous ne serions pas mortels.

Je revois le piroguier et ses gestes tranquilles, si insouciant en apparence de ce temps qui va, et peut-être le seul, finalement, à en savourer l'éternité.

— Mais cette époque est aujourd'hui presque partout révolue.

Son épouse arrive sur ces entrefaites. Je constate que le plat qu'elle a déposé la veille sur le seuil de la demeure est toujours là, inaltéré. Le coq tente de s'en approcher, mais le vieil homme le chasse en feignant de s'apprêter à lui donner un coup de pied. Mon hôtesse me fait cadeau d'un beau sourire épanoui.

— Comment as-tu passé la nuit ?

— On ne peut mieux, je vous remercie, dis-je plaisamment.

Elle sourit toujours. Je découvre avec étonnement que je peux me complaire à des formules de politesse. Bien que nos échanges soient apparemment dénués d'intérêt, j'ai le sentiment qu'ils me permettent d'apprendre à la connaître.

— Je vais vous débarrasser de ce plat qui vous gêne, dit-elle en s'emparant de l'assiette qui est posée sur le pas de la porte.

Sans doute se rend-elle compte que sa présence m'intrigue, puisqu'elle se met à m'expliquer sur-le-champ :

— C'est la portion réservée à nos ancêtres. Ils viennent s'y rassasier durant la nuit qui est, comme tu le sais, leur domaine.

Je n'en suis pas trop étonné ; mais je me demande tout de même comment elle perçoit le fait que la nourriture soit demeurée intacte. Mon hésitation ne lui échappe pas, puisqu'elle ajoute aussitôt :

— Je vois cependant à ta réaction qu'un tel geste ne t'est pas familier.

Je ne peux qu'acquiescer. Elle baisse les bras ; elle ne peut cacher sa déception.

— Pourquoi n'ont-ils pas mangé cette nuit? dis-je.

Je crois ainsi pouvoir la rassurer sur l'opinion que j'ai de ce genre de coutume ; mais je réalise tout de suite que je ne m'y suis pas pris de la bonne façon.

— Qu'est-ce qui te fait croire ça? réplique-t-elle. Ils ont pourtant bien mangé.

— Mais...

— Oh! bien sûr! la nourriture est encore là! Mais ils ont tout avalé sans rien laisser.

Je suis hébété. Elle jette un regard désespéré sur son mari ; elle paraît décontenancée de ma réaction.

— Ne t'en fais pas, dit-il pour lui venir en aide. Les Blancs ne comprennent rien à tout ça. Nous n'y pouvons pas grand-chose.

Elle se calme un peu. Elle m'examine ensuite avec soin. Sans doute perçoit-elle mon embarras : elle me sourit affectueusement. Puis elle me prend doucement la main et se met à parler, posément, en pesant bien ses mots, comme une mère qui donnerait des conseils à son fils.

— Nous ne serions rien sans l'amour que nous vouent nos parents. Et nous ne pouvons apprécier celui de nos enfants si nous n'acceptons pas la responsabilité qui nous incombe de prendre soin de nos ancêtres.

Avant que j'aie le temps de réaliser ce qui se passe, elle porte ma main à ses lèvres et glisse le bout de sa langue sur ma paume ; puis elle referme délicatement ma main en me fixant droit dans les yeux. Elle s'en retourne ensuite sur ses pas, sans un mot, me laissant seul aux prises avec une émotion à laquelle je me croyais étranger.

Chapitre XII

Un enfant par la main

Kouakou est venu me chercher pour m'emmener en promenade à travers le village. Nous marchons sans nous presser, main dans la main, comme des frères inséparables ou comme un père et un fils heureux de partager un moment d'insouciance. Jamais encore je ne me suis trouvé si longtemps avec un enfant pendu à mon bras ; et je m'étonne que ce fait lui paraisse si naturel, quand il a pour moi valeur d'événement.

Je me souviens du temps où j'étais gamin. Je rêvais de balades interminables en compagnie de mon père. Après quelques pas, il me prenait la main, en témoignage de son affection ; il me gardait ensuite avec lui de longues heures, pour bien me montrer son attachement indéfectible. Ce n'était pourtant qu'un rêve. Je le lui ai toujours un peu reproché ; pourtant, ma conduite n'est guère différente de la sienne aujourd'hui. S'il n'y avait

Kouakou pour me forcer la main avec cette aisance que je lui envie, je n'aurais pas sorti les poings de mes poches. Il est si bon pourtant de sentir sa petite main au creux de la mienne.

À chaque carrefour, des villageois s'arrêtent pour me saluer. Ils s'assurent que je vais bien et que j'ai passé une bonne nuit ; je les remercie gentiment de leur délicatesse, étonné qu'ils m'adressent la parole alors que nous ne nous connaissons pas. Je crois même déceler chez la plupart d'entre eux une chaleur que je n'ai pas l'habitude de rencontrer chez des inconnus. Je me méfie un temps, soucieux de ne pas être dupe de l'attention que peuvent feindre certaines gens malgré leur indifférence. Pourtant, rien ici ne me permet de douter de la sincérité des villageois qui m'abordent. J'en suis un peu déconcerté.

Le village a repris graduellement ses activités interrompues durant la nuit. À une intersection, une jeune femme fait frire de petits morceaux de banane plantain dans un grand chaudron ; des enfants courent autour d'elle. Tout près de là, un paysan déterre des tubercules de manioc à l'aide de sa machette. Un peu plus loin, une fillette vend des cacahuètes aux passants.

Nous poursuivons notre chemin sans desserrer nos mains. Partout, on entend le bruit des pilons frappant le fond des mortiers en cadence. J'observe à la dérobée une ménagère qui, au milieu de sa cour, s'acquitte de sa tâche avec énergie. À intervalles réguliers, elle projette un pilon d'un mètre de long dans un gros mortier taillé à même un tronc d'arbre ; mais elle réalise soudain que je la regarde et s'arrête de piler aussitôt. Je reprends ma route sur-le-champ, gêné de m'être laissé prendre en flagrant délit d'indiscrétion ; mais elle se met à gesticuler.

— Hé ! Oh ! Viens ici !

Je ne peux lui échapper. Kouakou, déjà, sans lâcher ma main, a fait quelques pas dans sa direction, en insistant pour que je le suive. Je pénètre donc avec lui dans la cour et m'avance vers elle. C'est une jolie femme d'une cinquantaine d'années ; ses épaules sont rondes et ses bras, musclés. Elle est assise sur un petit banc de bois, le pagne retroussé sur les jambes, et tient à la main son long pilon.

Elle me décoche un sourire désarmant.

— Bonne arrivée, dit-elle.

— Merci.

Elle étire le bras comme pour me serrer la main, mais son poing reste fermé et je finis par comprendre qu'elle ne veut pas me tendre une main salie par les aliments. Je resserre instinctivement mes doigts sur son avant-bras ; sans doute le geste est-il approprié, puisqu'elle ne manifeste aucune surprise. Je retire ma main. Elle se lève avec empressement pour aller me chercher une chaise.

— Assieds-toi.

Je lui obéis.

— Quelles nouvelles m'apportes-tu ?

Elle essuie la sueur coulant sur son front avec un pan du pagne qui lui sert de tablier. Je n'ai pas grand-chose à lui dire.

— Rien de neuf.

J'ajoute cependant, par souci d'être agréable :

— Je suis ravi d'être accueilli dans votre village.

Elle marque son assentiment par un hochement de tête.

— Tu te balades dans le village avec notre fils. Tu m'as vue et tu es venu me saluer : je t'en remercie.

Quant à moi, je suis là, chez moi, préparant le *foutou* pour le repas du midi.

Kouakou vient se percher sur mes genoux. Nous restons silencieux quelque temps. J'en suis un peu mal à l'aise. Elle ne semble pour sa part guère souffrir de mon mutisme ; on dirait au contraire qu'elle trouve tout naturel que je sois assis à ses côtés, sans mot dire, comme si je faisais depuis toujours partie de la famille.

— Tu as passé une bonne nuit ?

— Oui, merci.

— Tu te portes bien ?

— Très bien. Et vous ?

— Bien, merci.

Elle reprend son travail de pileuse en silence. Celui-ci consiste à réduire en pâte, à l'aide du pilon, une boule de manioc et de banane plantain posée au fond du mortier. Entre les chocs répétés du pilon, elle retourne la pâte de sa main libre et je crains parfois qu'elle ne se broie les doigts tellement la cadence est rapide. Elle accomplit cependant son ouvrage avec une grande dextérité : ses gestes sont vifs et précis et c'est toujours une main leste qui manie le *foutou*, puis se met à l'abri entre deux coups de pilon.

— Tu es venu sans ta famille ?

J'hésite à répondre. Cette question commence à me rendre mal à l'aise. La vérité est pourtant simple à dire.

— Je n'ai ni femme ni enfants.

Elle interrompt son ouvrage et me dévisage sans retenue. Je cache difficilement mon embarras : je déteste d'être mis à nu.

— Ce n'est pas possible.

— Je vous assure. Qu'y a-t-il là de surprenant ?

Son regard s'obscurcit. J'ai l'impression qu'elle se ferme un peu ; elle paraît déçue de moi.

— C'est donc vrai, ce qu'on raconte... Les Blancs n'aiment pas les enfants !

Je proteste.

— Mais si !

— Alors dis-moi pourquoi tu n'en as pas.

— C'est que je ne suis pas encore prêt, voilà tout.

— Pas encore prêt ! À ton âge !

Je me tais, confus. Kouakou veut se lever, mais je le retiens dans mes bras. Il laisse tomber sa tête sur mon épaule ; je glisse nerveusement ma main dans ses cheveux.

Je le garde quelque temps contre moi. Parviendrai-je un jour à me libérer de ce malaise qui m'empêche de révéler ce que je brûle de partager et qui pourrait être la meilleure part de moi ? Sans doute ai-je trop sacrifié à une liberté dont je ne sais que faire lorsque je me retrouve seul chez moi.

Elle me sourit d'un air désolé ; mais elle retrouve vite sa bonne humeur, comme si elle avait déjà oublié sa déconvenue.

— Nous allons régler ton problème, dit-elle. Je vais appeler ma fille.

Tandis qu'elle réclame son enfant, d'une voix qui n'admettrait aucune protestation, je crois déceler dans son regard un soupçon de malice. Une fillette de douze ans, intimidée, s'amène devant nous ; elle me tend une main incertaine.

— Voilà ton nouveau mari, dit la mère sans transition. Il faut m'aider à préparer ta robe. Le mariage aura lieu demain.

La fillette, frappée de stupeur, reste paralysée, la bouche bée et les bras ballants ; mais elle proteste bientôt à grands cris, tandis que sa mère, pliée en deux, s'étouffe de rire. Elle tente d'emprisonner sa fille dans ses bras, mais celle-ci se débat avec tant de vigueur qu'elle parvient vite à s'échapper et court se réfugier dans la maison.

— C'est entendu, persiste-t-elle, l'œil moqueur. Nous t'attendons demain matin, vêtu de tes plus beaux habits.

Elle cligne de l'œil et s'esclaffe de nouveau. Puis son rire s'éteint, peu à peu, en lui laissant des larmes au coin des yeux. Elle est d'une saisissante beauté.

— Marché conclu. J'ai quand même bien fait d'attendre tout ce temps avant de me marier...

Elle a un sourire sincère. J'ai le sentiment de l'avoir reconquise. Elle reprend le pilon et se remet à l'ouvrage. J'observe le mouvement de va-et-vient de l'instrument. On dirait qu'il unit les choses de la terre et du ciel.

Nous demeurons longtemps silencieux. De temps en temps, elle s'arrête pour souffler un peu. À l'occasion, elle s'éponge aussi le front. Même en plein travail, elle ne cesse de sourire. Je me demande où elle en trouve la force ; mais elle ne comprendrait sans doute pas d'où vient mon étonnement si je lui en faisais part.

— Est-il vrai que ton pays est aussi riche qu'on le dit? demande-t-elle enfin rompant notre silence.

Il ne servirait à rien de le nier. On vit parfois dans un tel faste que c'en est presque indécent. J'acquiesce d'un mouvement de tête ; j'ai pourtant l'impression, ce faisant, de mentir un peu. Il me semble qu'il y a aussi, revers à la médaille, une extrême pauvreté ; je pense à cette affreuse misère qui me fait mener une existence pitoyable, dont le luxe ne parvient jamais à cacher la vacuité.

— Tous les gens vivent donc très bien là-bas...

Je me vois dans l'obligation de corriger un peu son tir.

— La plupart, mais pas tous.

Je songe à ces êtres meurtris qui mendient dans les rues de ma ville, aux femmes battues et violées, aux mères qui se retrouvent seules et sans emploi, aux enfants maltraités, puis abandonnés à leur sort, aux sans-logis, à tous les désespérés dont presque personne ne se soucie et qui me paraissent plus nombreux encore chez moi que dans ce pays qu'on dit pourtant si pauvre.

— Pourquoi ? Ton pays est riche, non ?

— Oui, mais...

— Mais quoi ?

Que puis-je répondre, sans lui révéler mes insuffisances ? Où suis-je quand mon frère lui-même doit pour se nourrir tendre une main à demi refermée devant des passants indifférents ? Je ne trouve rien de mieux que de justifier mon inaction en prétendant que la responsabilité de s'en sortir n'incombe qu'à soi-même. Saurais-je avouer à cette dame que je ne lui suis jamais venu en aide ? Elle ne pourrait que m'en vouloir de ma lâcheté.

— C'est comme ça, dis-je faussement fataliste.

— Alors, c'est vrai aussi qu'on abandonne les vieux, pour les regrouper ensuite dans des asiles...

Je m'apprête à protester que cette façon de voir ne traduit pas fidèlement la réalité ; mais un scrupule soudain m'en empêche. Je me mets à douter : et si elle avait raison ?

— Si c'est comme ça, poursuit-elle, il n'est plus question que tu emmènes mon enfant avec toi. Il te faudra rester ici ou je te retire sa main.

Je souris faiblement.

— Je me soumettrai à votre volonté, dis-je affectant une obéissance mêlée de crainte et de respect.

Elle a pour moi un regard plein de sollicitude.

— Je vois pourtant, dit-elle tristement, que ton cœur n'est pas méchant.

Chapitre XIII

Une tresse dans les cheveux

Nous reprenons notre route, Kouakou et moi, sous un soleil de plus en plus lourd qui dissipe peu à peu la fraîcheur matinale. La moiteur de l'air ralentit déjà ma course. Il est vrai que rien ne m'oblige à presser le pas : Kouakou lui-même, malgré sa jeunesse, chemine sans hâte et, s'il s'éclipse parfois dans les buissons à la poursuite d'un lézard ou d'une sauterelle, je n'ai pas à le suivre dans ses incartades. Je l'attends donc patiemment, suant à grosses gouttes ; il me revient le sourire aux lèvres, exhibant fièrement un papillon dont il serre le thorax pour l'obliger à ouvrir grand les ailes, ou un scarabée géant dont il s'amuse à caresser les antennes palmées.

Durant tout ce temps, je ne parle pas ou très peu. Quand je le fais, c'est pour saluer brièvement un paysan qui s'en va vers son champ, la machette à la main, ou une paysanne qui revient au village, une bassine pleine de manioc sur la tête. De temps en temps, je vois Kouakou me dévisager avec étonnement, comme s'il s'interrogeait sur les raisons de mon mutisme. Peut-être croit-il que je recherche le silence pour le calme qu'il me procure. Il est vrai que tel est souvent le cas. Pourtant, je sais qu'il n'en est rien aujourd'hui : si je ne parle pas, c'est tout simplement que je ne sais pas quoi dire à un enfant.

Ce constat, que je ne peux réfuter, me désole. Faut-il avoir vécu trente années pour en arriver là ? J'essaie d'engager la conversation ; mais je ne me sens pas très à l'aise dans ce rôle. C'est peut-être pour cela que mon père, lui aussi, me parlait peu.

— Quel âge as-tu ?

— J'ai six ans.

— Est-ce que tu vas à l'école ?

— L'année prochaine.

— Où as-tu appris le français ?

Il paraît surpris de m'entendre poser une question comme celle-là.

— À la maison, répond-il simplement.

Tandis que je cherche encore des choses à lui dire, une poule surgit au milieu du chemin ; Kouakou se lance à ses trousses. L'animal parvient toutefois à se réfugier dans un taillis et l'enfant doit revenir bredouille. Il a mis les deux mains dans les poches de son pantalon, beaucoup trop grand pour lui, mais déjà usé jusqu'à la corde.

— As-tu des frères et sœurs ?

— Bien sûr.

— Combien ?

Il frappe du pied contre un caillou, comme s'il s'agissait d'un ballon.

— Beaucoup, dit-il.

Je souris.

— Combien beaucoup ?

Il reprend ma main.

— Je ne sais pas.

— Tu ne sais pas ?

— Il y en a trop. Je ne sais pas encore compter jusque là.

Je songe que sa famille est décidément bien différente de la mienne. Je n'ai jamais eu du mal à évaluer l'étendue de ma famille : je n'ai qu'un seul frère. Il m'arrive pourtant d'être plusieurs années sans le voir.

Nous marchons encore quelque temps sans rien dire. Nous arrivons bientôt à l'entrée d'une cour où sont assises deux jeunes femmes. Kouakou se met à tirer sur mon bras avec insistance.

— Viens, dit-il avant de m'entraîner auprès d'elles.

Une des filles se pousse un peu pour me faire de la place sur le banc avec elle, tandis que sa compagne, assise à ses pieds sur un bloc de béton, se lève en toute hâte et disparaît dans un coin de la cour ; elle revient presque aussitôt, un verre d'eau à la main. Je ne me laisse pas prier pour boire : je suis déshydraté. Mon hôtesse reprend sa place aux pieds de son amie ; Kouakou entreprend de se pendre à son cou.

— Bonne arrivée, dit-elle.

— Merci.

— Bienvenue chez nous, ajoute sa compagne.

— C'est gentil.

Elles sourient.

— Ça va ? reprend celle qui est assise sur le bloc de béton.

— Ça va.

Elle a de petites tresses à trois brins sur une moitié de la tête ; je réalise que je viens d'interrompre une séance de coiffure ; mais la coiffeuse reprend aussitôt son ouvrage sans se soucier de ma présence. Elle travaille d'une main ferme, sans ménager aucun effort pour que les tresses soient bien serrées. Sous la traction, le cuir chevelu de la jeune femme coiffée se tend comme une voile. Une crispation apparaît parfois sur son visage ; mais jamais elle ne se plaint. Elle sourit même, au contraire, au point que j'en viens à envier sa position ; il me semble qu'il serait bon d'être blotti entre les jambes de la coiffeuse, les bras appuyés sur ses cuisses luisantes, quitte à devoir pour cela me faire tirer les cheveux. Les filles, cependant, ne semblent même pas conscientes de la sensualité qui se dégage de leur activité ; elles s'y abandonnent en toute naïveté, collées l'une contre l'autre comme si elles ne pouvaient faire autrement.

— Est-ce que les femmes de ton pays tressent aussi leurs cheveux ? me demande la coiffeuse.

— Quelquefois.

Elle examine ma chevelure.

— Comment s'y prennent-elles ? Vos cheveux sont si lisses.

— Je ne sais pas.

— Ça ne doit pas tenir longtemps. Il faut sans doute recommencer chaque jour.

— Oui, je crois.

— Je vois.

Elle poursuit son travail, l'air songeur.

— Il faut beaucoup de temps pour tresser. On dit pourtant que les Blancs sont toujours pressés.

— Elles se font surtout de grosses nattes. C'est plus rapide.

Elle approuve d'un mouvement de tête.

— Penche-toi un peu que je touche tes cheveux.

Je lui obéis avec empressement. Elle entreprend de me caresser la tête, s'amusant à laisser glisser mes cheveux entre ses doigts. Elle paraît émerveillée par la sensation qu'elle éprouve ; je ne le suis pas moins.

— Tu as de beaux cheveux.

Je ne me souviens pas qu'on m'ait jamais dit une chose semblable.

— Je vais te tricoter une petite tresse.

Elle s'applique aussitôt à la tâche. Cela n'est pas facile, puisque mes cheveux sont très courts. Pour mieux parvenir à ses fins, elle se met à tirer dessus avec une énergie qui n'est pas sans rudesse.

— Aïe !

— Je te fais mal ? Tu n'es pas très endurci...

— Je n'ai pas l'habitude.

— Que les hommes sont délicats ! dit-elle pour me taquiner.

Sa compagne s'esclaffe. Je suis quand même heureux que leur moquerie s'adresse à toute la gent masculine.

— Je n'y arrive pas, soupire-t-elle enfin.

Elle abandonne la partie.

— Tes cheveux sont trop lisses, dit-elle pour se justifier.

— Laisse-moi essayer à mon tour, me prie son amie.

Elle repousse Kouakou, se lève à la hâte et vient s'appuyer sur mon dos. Nous sommes un peu à l'étroit ; mais je semble le seul à le noter. Elle effleure d'abord mes cheveux du bout des doigts ; puis elle s'essaie elle aussi à la tâche. Elle s'y prend avec beaucoup de douceur ; je me sens comme un enfant qui se laisserait caresser par sa mère. Je ne sais toutefois plus grand-chose du petit garçon que j'étais, tellement j'ai mis d'effort à l'oublier. Si ma mère m'a bercé quelquefois, je ne m'en souviens plus : il ne me reste d'elle, le plus souvent, que le souvenir d'un visage défait, de grands yeux battus et d'une frêle silhouette aux longs bras qui ne savent plus enlacer. Peut-être y a-t-il déjà eu en moi un enfant qui se livrait en toute confiance ; mais je ne sais s'il peut encore en subsister quelque trace.

Ma deuxième coiffeuse ne tarde pas à s'estimer vaincue elle aussi. J'en suis un peu chagriné ; mais je suis quand même heureux d'avoir eu la chance de me laisser peigner un moment. Cela ne m'était pas arrivé depuis longtemps. J'ai l'impression d'avoir repris des forces, comme si les filles avaient su maîtriser l'énergie vitale de mes cheveux, l'empêchant de se disperser à tous vents. Il me vient à l'esprit une drôle d'image : ma chevelure s'allonge, puis s'enroule en de longues tresses qui tissent des liens étroits entre moi et les membres de ma famille. Bientôt des tresses m'unissent aussi à Kouakou, au vieil homme et aux habitants de leur village, puis poussent jusqu'au fleuve où elles voguent quelque temps au fil de l'eau, s'emmêlent à la barbe d'un piroguier et plongent vers les profondeurs pour me lier à d'étranges créatures.

— Bonjour à tous !

L'arrivée du vieil homme me tire de mes rêves.

— Comment allez-vous, mes enfants ?

— Très bien, répond la coiffeuse qui se lève aussitôt pour lui céder la place.

Je fais le geste de me lever moi aussi, mais le vieil homme m'en empêche.

— Tu n'as pas l'habitude de la chaleur, dit-il. Repose-toi un peu.

Il ajoute ensuite, le visage éclairé par un sourire plein de sous-entendus :

— Tu ne sais pas encore ce qui t'attend aujourd'hui.

Je le regarde, indécis. Il reprend un air raisonnable.

— Mon père et moi devons aller dans la forêt. Tu peux nous accompagner, si tu le désires.

Je réponds sans hésiter.

— Volontiers.

Ce projet me plaît bien ; je vais enfin pouvoir découvrir, en plein jour, la forêt tropicale. Cependant je ressens aussi un peu d'appréhension à l'idée de pénétrer dans ce lieu touffu qui me semble abriter des mystères insondables.

Le vieil homme paraît heureux de ma décision. La coiffeuse a repris une fois de plus sa besogne. Deux garçons, mi-vêtus, viennent chercher Kouakou pour jouer avec lui. Je les regarde faire quelque temps. L'un d'entre eux pousse devant lui, à l'aide d'un long fil d'acier, un cerceau de métal. Malgré les aspérités du sol, le cerceau roule sans difficulté. Cela me semble tenir du prodige.

— C'est un drôle de jeu…

— Plus j'avance en âge, plus ce jeu m'émerveille, avoue le vieil homme.

Il réfléchit un moment.

— En vieillissant, on dirait que grandit en moi le désir de renouer avec l'émotion de mon enfance. S'il est vrai en effet que la naissance et la mort ne sont que les deux faces d'un même phénomène, il se pourrait bien qu'une deuxième enfance soit le meilleur moyen de se préparer à la mort.

Nous restons silencieux. Kouakou a saisi le cerceau de son ami et le fait rouler à son tour. Il prend beaucoup de plaisir à ce jeu.

— Ce cheminement ne se fait pas toujours sans douleur, reprend-il ; mais il ne faut jamais refuser de voir la réalité en face. La vérité, si elle fait parfois pleurer, n'a jamais crevé les yeux de personne. J'ai cependant déjà trop parlé : les mots n'ont de poids que s'ils ont longuement mûri.

Je me sens visé par ses propos ; j'en suis un peu incommodé, même si je sais que le vieil homme est rempli de bonnes intentions. Kouakou fait rouler le cerceau jusqu'à moi. Je m'en empare et le cache derrière mon dos ; il essaie de le reprendre, mais n'y arrive pas.

— Donne-le-moi, dit-il d'une voix suppliante.

Je laisse tomber le cerceau et attrape Kouakou par le corps pour le jeter, tel un sac, sur mon épaule. Il crie à tue-tête, se débat un peu, mais ne semble pas trop pressé de changer de position.

— Tu aimerais un jour avoir des enfants ? me demande le vieil homme tandis que Kouakou rit sans pouvoir s'arrêter.

Je suis le premier étonné de ma réponse.

— Je voudrais bien d'un fils comme celui-ci.

Le vieil homme a un large sourire. Je dépose Kouakou qui s'échappe comme à regret.

— Allez, nous devons partir, maintenant. Dis au revoir à nos amies.

Je m'apprête à les saluer ; mais la coiffeuse s'accroche à mon avant-bras, comme si ce geste nous était habituel, et me pousse vers la rue.

— Nous allons vous accompagner un peu.

Sa compagne s'est levée elle aussi pour venir avec nous. Nous marchons d'un pas très lent, presque immobile, comme pour retarder le moment où nous devrons nous séparer. Nous progressons ainsi quelques minutes, sans rien dire. Le soleil est cuisant : je sue de partout. Le rire de Kouakou roule en cascade dans ma tête.

— Puisque tu es en bonne compagnie, dit enfin la coiffeuse en clignant de l'œil en direction du vieil homme, nous allons te laisser ici.

Elle me serre la main.

— Reviens nous voir, ajoute sa compagne.

Elles s'en retournent sur leurs pas. Je les regarde s'éloigner sans se presser, main dans la main, comme des enfants.

Chapitre XIV

Le calao, l'antilope, le rat de brousse et l'escargot

C'est dans un véritable enchantement que j'entre dans la forêt qui borde le village. Je réalise enfin un vieux rêve : explorer, sans souci du danger, une jungle où foisonnent les animaux sauvages et les plantes exotiques. Je découvre un univers fabuleux, presque féerique. Il y a bien sûr ce maquis touffu, impénétrable et ces arbres gigantesques. Cependant je tombe aussi sous le charme de silhouettes plus familières : la tige élancée d'un cocotier qui fleurit au sommet en une gerbe de feuilles ; le gros tronc d'un palmier aux feuilles acérées ; la lourde grappe de fruits d'un petit bananier. La forêt m'envoûte. Elle ne révèle pourtant ses richesses que dans la pénombre : la lumière pénètre à peine, étouffée par la frondaison qui forme un rideau serré au-dessus de nos têtes, comme s'il convenait de jeter un léger voile sur l'abondance et la démesure de la végétation du sous-bois.

Le vieil homme ouvre la marche en silence. De temps en temps, il prend la peine de dégager les abords du sentier à grands coups de machette. Le vieux chef le suit, dans un égal mutisme, un sac de jute en bandoulière. Je ferme le pas, m'arrêtant à l'occasion pour admirer des bambous regroupés en bouquets denses de plusieurs mètres de rayon, ou des lianes enchevêtrées qui ont renoncé par endroits à défier les lois de la pesanteur.

— Hou hou ! Hou hou !

La forêt est remplie de sons étranges. Je n'ai pourtant vu jusqu'ici aucun animal, si ce n'est un petit calao. C'est un oiseau au plumage un peu terne ; mais son long bec recourbé lui donne une belle apparence.

— Hou hou ! Hou hou !

Je ne sais à quelle bête appartient ce cri. Il n'a, Dieu merci, rien à voir avec celui de la hyène noire ; je suis malgré tout un peu inquiet. J'essaie de ne pas le laisser paraître.

— N'aie pas peur. Nous sommes là pour te protéger, se moque le vieil homme qui a deviné mon inconfort.

Mes deux guides s'esclaffent. Je me renfrogne.

— Je suis assez grand pour me défendre tout seul.

Nous arrivons au bord d'un ruisseau boueux. Le vieil homme, vêtu d'un pantalon court, ne fait même pas l'effort d'enlever ses sandales et avance dans l'eau sans attendre. Son oncle est pieds nus ; avant de suivre le vieil homme, il prend toutefois la peine de replier les jambes de son pantalon au-dessus de ses genoux. Quant à moi, je reste indécis. J'hésite à tremper mes pieds dans l'eau trouble du ruisseau : j'ai trop peur d'attraper le ver de

Guinée, l'onchocercose, la bilharziose ou l'éléphantiasis.

— Tu viens ?

Ma petite angoisse ne semble guère les préoccuper.

— Qu'est-ce que tu attends ?

J'essaie de m'en tirer par une plaisanterie.

— De petits parasites se cachent dans les ruisseaux. Or les Blancs sont faibles, vous savez. Il suffit de presque rien pour les terrasser. Les parasites en profitent. Je me sens menacé.

Ils rient.

— Je n'ai nullement l'intention de nier les faiblesses de tes compatriotes, réplique le vieil homme. Cependant tu ne cours ici aucun risque ; car là où tu imagines de l'eau souillée par la boue, il y a plutôt de la terre animée par l'eau.

Je ne suis guère impressionné par son argument. Je me déchausse pourtant, malgré moi, roule mon pantalon jusqu'aux cuisses et me jette à l'eau à mon tour. Il me faut à peine trois pas pour arriver de l'autre côté. J'essuie mes pieds et mes mollets, consciencieusement, sur les jambes de mon pantalon ; mes compagnons me regardent d'une drôle de façon.

Je les suis encore sur le sentier qui s'enfonce dans la forêt. Après quelques minutes de marche, le vieil homme s'arrête au pied d'un immense fromager ; il tourne ensuite le dos au sentier et, usant de sa machette, entreprend de nous libérer un passage au cœur du maquis.

— Nous allons te montrer comment nous chassons le rat de brousse, dit-il. Avec un peu de chance, nous pourrons en manger ce soir.

J'ai un sursaut de dégoût.

— Tu verras, c'est délicieux, insiste-t-il.

Je me vois déjà mordre à belles dents dans un rat d'égout. C'est une idée horrible. Cependant je ne veux pas être plus méfiant qu'il ne faut ; il n'y a sans doute aucune parenté entre les deux bêtes.

Le vieil homme travaille d'arrache-pied pour ouvrir une issue au milieu des broussailles. Ce n'est pas une mince tâche ; mais il l'accomplit avec brio, en se servant adroitement de sa machette. Il lui suffit d'un coup de lame pour trancher les lianes ; même les plus grosses branches ne lui résistent pas. Cela m'impressionne. Je ramasse une tige fraîchement coupée ; bien qu'elle soit d'un fort diamètre, elle a le cœur bien tendre. Je comprends tout à coup que le sous-bois, malgré sa densité, est encore tout neuf. Peut-être même sa jeunesse ne le quitte-t-elle jamais ; le cycle de la vie et de la mort y serait si rapide que la forêt n'aurait guère le temps de montrer des signes de vieillissement. Voilà qui expliquerait aussi les images hallucinantes de mes cauchemars d'enfant, où la grande jungle, à peine franchie, se refermait sur l'aventurier ; la nature, toujours renouvelée, aurait le dernier mot.

Le vieil homme s'arrête pour récupérer un peu.

— C'est un travail essoufflant, dis-je.

— On en vient presque à envier ceux qui n'ont besoin que de la force de leur pensée pour tuer le rat de brousse, approuve le vieil homme.

J'accueille ses propos avec défiance.

— J'ai connu dans ma jeunesse un sorcier capable de le faire, affirme-t-il. Il dévorait les entrailles de sa victime à distance. Évidemment, tout le monde se méfiait de lui…

Il observe ma réaction du coin de l'œil. Je sens qu'il réprime à grand-peine un sourire.

— Ne t'en fais pas, intervient alors le vieux chef. Nos techniques de chasse ne sont pas aussi raffinées que celles du sorcier. Nous sommes satisfaits des méthodes traditionnelles.

Je n'en suis pas mécontent. Le vieil homme reprend son travail de défrichage, tandis que le vieux chef se met à rassembler les branches coupées par son neveu. Il les sectionne en tronçons d'environ quatre-vingts centimètres de long, qu'il plante dans le sol au pied d'un gros palmier, serrés les uns contre les autres de façon à former un petit enclos où n'est ménagée qu'une ouverture d'une quinzaine de centimètres de largeur. Il sort ensuite de son sac de petits fruits rouges à demi fermentés et les dépose au fond de la cage.

— Ce sont des graines de palme, m'apprend-il. Le rat de brousse en raffole.

Il installe une petite baguette de bois, à la verticale, près de l'ouverture de l'enclos, et y appuie un tronc d'arbre de sept ou huit centimètres de rayon. L'équilibre de la construction m'apparaît des plus précaires.

— Voilà. Il ne nous reste plus qu'à attendre.

J'essaie de comprendre le principe sur lequel repose le piège ; mais je n'en saisis pas toutes les ficelles. Je m'en ouvre au vieux chef.

— En tentant de se frayer un chemin jusqu'aux graines de palme, m'explique-t-il, le rat de brousse ne pourra éviter de heurter la baguette : l'équilibre instable qui retient le tronc d'arbre sera alors rompu.

Il a un léger sourire. J'imagine aisément la suite : la masse s'effondre et la bête succombe sur le coup, la tête broyée sous le choc. J'en ai des frissons. N'est-ce pas là le sort qui attendait le fils de Pokou, alors même qu'un vaste royaume lui était promis ? Je revois en pensée la belle souveraine. Elle tient son enfant blotti contre son sein ; il sourit doucement, se laissant envelopper par la chaleur de sa mère. Puis, brusquement, elle l'arrache à sa poitrine et le précipite dans les flots. Il n'a même pas le temps de pousser un cri qu'il disparaît déjà, emporté par le courant. Je vois ensuite la figure de mon père remplacer celle de Pokou. Il avance dans le fleuve en me tenant à bout de bras, comme pour éviter que mes vêtements ne soient mouillés. Cependant son corps se met bientôt à trembler ; il n'a plus la force de me porter. J'ai peur ; je hurle. Il lutte un temps ; mais il m'abandonne bien vite et je sombre dans l'abîme. Il continue ensuite son chemin, comme si de rien n'était, sans même se retourner pour jeter un dernier regard sur moi.

— Aide-moi, maintenant, dit le vieux chef. Nous allons fabriquer encore quelques pièges.

Je n'ai jamais aimé la chasse ; j'acquiesce quand même à sa demande. Je m'y serais sans doute opposé, autrefois ; je ne comprenais pas qu'on pût apprécier une activité où l'on devait faire preuve d'une telle cruauté. Il a fallu une lettre de mon père pour que je commence à surmonter ma répulsion et accepte de reconnaître que la chasse puisse avoir un sens. « Quand je poursuis l'antilope, écrivait-il, il me faut l'imiter en tous points, pour qu'elle ne sache pas que c'est un chasseur qui la cherche. Ce faisant, je m'identifie à elle ; je deviens une antilope à mon tour. Cela lui permet d'apprivoiser ma présence ; elle me laisse approcher peu à peu. C'est dans un véritable esprit de communion qu'a lieu ensuite sa mise à mort : il faut qu'elle meure pour que je survive. Ainsi va la vie. » Plus loin, il ajoutait ces phrases troublantes : « Si tu m'aimes, tu me tueras un jour, pour pouvoir enfin jouir de ton existence. Je ressusciterai alors en toi, en te léguant le meilleur de moi-même. Plus tard, tu vivras à ton tour par ta descendance. »

Ce sont parmi les dernières nouvelles que j'aie reçues de lui : deux ans après, je décidais d'entreprendre à nouveau la grande traversée. Je ne sais cependant où le trouver. Peut-être habite-t-il près d'ici, dans cette grande ville d'où me sont parvenues toutes ses lettres.

La confection des pièges n'est pas une tâche trop lourde ; nous avons vite terminé et retournons vers le sentier.

— Nous reviendrons à la tombée de la nuit, m'apprend le vieil homme. Les rats préfèrent l'obscurité ; mais il leur arrive de sortir avant la fin du jour.

Je ne suis pas encore arrivé au sentier que je tombe sur un énorme escargot : il prend plus de place qu'un poing refermé ! Je le touche prudemment ; il rentre ses cornes, mais les ressort timidement au bout de quelques secondes. Je contemple la spirale de la coquille ; je me perds aussitôt dans ses circonvolutions. Je nous vois vieillir, mon père et moi, au point d'être bientôt prêts de fermer les yeux ; mais la mort elle-même ne parvient ni à nous anéantir ni même à nous séparer. La lune s'éteint, puis renaît, et j'applaudis avec enthousiasme à nos retrouvailles périodiques.

— As-tu déjà goûté aux escargots ? me demande le vieil homme.

Je sursaute. Je commence tout juste à réaliser toute la peine que j'ai d'être sans nouvelles de mon père. Je me surprends même à songer à la possibilité qu'il soit déjà mort ; je n'ose plus vraiment croire à son retour.

Le vieil homme répète sa question. Je fais non de la tête.

— C'est très bon, tu sais, assure-t-il.

J'examine de nouveau la coquille de l'escargot ; je pense aussitôt à Léa. Il me vient alors le désir de la prendre contre moi. C'est un besoin si impérieux qu'il me semble que j'aurais de la peine à y résister si elle se trouvait là ; et je n'arrive bientôt plus à l'imaginer autrement que nue devant moi, affamée, ruisselante, indomptée.

Le vieux chef jette l'escargot dans son sac.

— Tu vas découvrir un mets hors du commun.

J'avale ma salive.

Chapitre XV

Le singe et le hanneton

Le sentier devient de plus en plus étroit, au point que je crains parfois que nous en perdions la trace. Il me serait maintenant difficile de retrouver seul le chemin du retour ; il nous a fallu, pour nous rendre ici, traverser maints embranchements, bifurquer à gauche, puis à droite, rejoindre des sentiers venant de partout, si bien que je ne sais plus quelle direction il me faudrait prendre pour revenir à mon point de départ.

Le soleil a depuis un certain temps déjà amorcé sa descente ; je doute que nous puissions retourner au village avant la noirceur. Je sais cependant que je peux faire confiance au vieil homme pour me guider. Je n'ai pourtant jamais aimé la nuit, royaume de l'indistinct et de l'inexprimable, où tout me semble échapper à la raison, cette faculté dont dépend tellement l'univers que je me suis construit. Même les paroles de mon père ne sont jamais parvenues à me faire apprécier l'obscurité. Juste avant la nouvelle lune, il avait coutume de dire : « La nuit est le commencement ; les ténèbres sont le ferment du jour. » Si j'étais ravi de voir la lune réapparaître, j'observais cependant ses transformations quotidiennes avec un peu d'appréhension : son gros ventre de femme enceinte m'angoissait. Il se pourrait toutefois que sa beauté un jour me séduise. Je verrai alors son ventre exploser dans un bruit de fanfare, libérant un petit Kouakou qui viendra se pendre à mon cou ; et cela me réjouira le cœur. Mais le sentier s'est élargi et le soleil, que me cachait la cime des arbres, soudain m'éblouit : nous surgissons au milieu d'une clairière dont la belle lumière a vite fait de me tirer de mes rêveries.

Au fond de cet espace ouvert dans la forêt, se dresse une hutte délabrée au toit de palme fendu de lézardes. Mes deux guides s'y dirigent sans hésiter, montrant clairement par leur attitude qu'ils se trouvent chez eux. Le vieil homme dépose sa machette sur une chaise bancale appuyée à l'un des murs de terre défraîchis de la case. Son oncle s'apprête pour sa part à se débarrasser de son sac quand retentit un cri strident : je vois un petit singe sortir prestement de la hutte, grimper habilement à un manguier, où pendent de gros fruits verts, et s'éloigner en bondissant de branche en branche avec agilité. À trois reprises, il s'arrête pour émettre un trille rauque et des grognements. Puis il disparaît dans la forêt.

— Il a eu la frousse, dis-je.

— Je n'en suis pas si sûr, déclare le vieil homme.

Il entre tout de suite jeter un coup d'œil dans la hutte.

— Il nous a volé du taro, nous apprend-il au terme de son inspection. Il faudrait le piéger ; mais ce n'est pas facile.

— Ne t'occupe pas de cela, réplique le vieux chef.

Il ne semble pas du tout enthousiaste à l'idée d'attraper l'animal.

— Le singe est passé maître dans l'art de l'illusion, dit-il. On croit qu'il nous joue des tours ; mais il indique plutôt où commencer notre quête. Car il a la connaissance des secrets essentiels.

Le vieil homme garde le silence. Il me jette un regard oblique. Puis il remue discrètement la tête en signe d'approbation.

— Tu as raison. Je n'y avais pas songé.

Il s'adresse ensuite à moi.

— Il nous a dérobé un peu de nourriture, dit-il, mais ce ne sont pas les provisions qui manquent.

Des bananiers fort chargés poussent en bordure de la clairière. Près de la hutte, des tiges de manioc étalent leurs feuilles en éventail ; quelques ignames enroulent leur tige autour du tronc de goyaviers. On trouve aussi des aubergines et du gombo. Nous ne risquons pas de mourir de faim.

— Nous n'avons toutefois rien à boire, fait mine de s'inquiéter le vieux chef.

Il cligne de l'œil dans ma direction et disparaît à son tour dans la hutte. Quand il en ressort, il tient à la main trois contenants de plastique de cinq litres chacun. Le vieil homme s'empare d'un des récipients et me fait signe de l'imiter. Il saisit ensuite sa machette et m'invite à le suivre. Son oncle nous emboîte le pas.

À une centaine de mètres de la clairière, nous nous arrêtons devant un gros palmier qui est couché sur le sol en travers du sentier.

— Nous allons maintenant te montrer comment il faut s'y prendre pour extraire le *bangui*, dit le vieil homme.

Une large cavité est creusée à la base du tronc. Elle est pleine d'un liquide crayeux, légèrement pulpeux.

— C'est ce que les Blancs appellent le vin de palme.

Un hanneton y baigne, inanimé. Le vieil homme le saisit entre ses doigts ; l'insecte se met à bouger des pattes, lentement, comme s'il sortait d'une profonde léthargie.

— Il est complètement saoul, dit-il.

— Sa passion pour l'alcool l'aura perdu, ajoute le vieux chef.

Il rit. Le vieil homme me tend l'insecte.

— Prends le temps d'y goûter. C'est délicieux.

J'ai un moment d'angoisse.

— Cela te donnera des forces, renchérit le vieux chef.

Je recule d'un pas. Je suis dégoûté ; mais je ne sais comment refuser. Puis il me vient en tête une idée.

— J'apprécie votre gentillesse, dis-je au vieil homme pour le remercier.

Je me tourne ensuite vers le vieux chef.

— Mais vous êtes l'aîné et, pour cette raison, c'est à vous que revient ce mets de choix.

Un sourire radieux s'épanouit sur ses lèvres. Il retire aussitôt le hanneton des doigts de son neveu.

— Soit ! Je te remercie.

Il lui arrache les ailes et l'avale sans plus de cérémonie. J'entends un petit craquement sous sa dent. Il paraît ravi.

— Voilà ce qui arrive quand on boit trop, plaisante-t-il.

Il s'empare ensuite d'une petite calebasse et s'applique à transvaser la sève dans un des contenants de plastique.

— À l'aurore, le *bangui* est très sucré et même les enfants peuvent y goûter. Mais il fermente rapidement : une heure plus tard, il nous fait déjà ressentir les vapeurs de l'ivresse. Il faut en user avec modération, me conseille-t-il en affectant un air sérieux.

Il continue de remplir le récipient. Je me rends compte qu'il s'agit d'un ancien bidon d'huile à transmission ; je remets rapidement en question le bien-fondé du recyclage.

Une fois la cavité vidée, le vieil homme tire une feuille de papier de sa poche et y met le feu ; il passe à la flamme toute la surface de l'entaille.

— Voilà, c'est terminé, dit-il. Nous reviendrons demain matin pour la prochaine cuvée.

Les deux hommes recueillent par la suite le suc de deux autres palmiers. J'apprends à mes dépens qu'il faut se méfier des feuilles de l'arbre : elles sont garnies d'épines et leur arête est des plus acérées. En m'approchant un peu trop, je m'accroche à une feuille et me taillade l'avant-bras.

— Voilà qu'il féconde de son sang la terre de notre vieux continent ! badine le vieil homme.

La blessure est douloureuse. Je n'apprécie guère sa boutade ; mais elle m'empêche de m'apitoyer trop longtemps sur mon sort.

— Viens. Nous allons te montrer une autre espèce de palmier.

Nous marchons quelques mètres avant d'arriver au pied d'un arbre sur lequel est appuyée une échelle de bambou.

— Tu viens de découvrir « le bateau », m'explique le vieux chef. Voici maintenant « l'avion ».

Grimpe sur l'arbre avec mon fils : tu verras comment on extrait le *bangui* « aérien ».

Je monte à la suite du vieil homme, non sans m'étonner de le voir si alerte malgré son âge avancé. Je n'ose pas regarder derrière moi. Je n'ai pourtant pas l'habitude d'avoir le vertige ; mais l'échelle est branlante et je ne me fie pas à la solidité de ses barreaux. J'arrive pourtant au sommet sans anicroche.

— Je n'ai jamais été si près du ciel, dis-je.

Je porte mon attention sur le tronc. Une grosse entaille y recueille la sève ; celle-ci est ensuite dirigée, par un canal creusé dans le bois, vers un contenant de plastique. Le vieil homme me le confie ; c'est un bidon du même type que ceux dont nous nous sommes servis jusqu'ici. Il est à demi rempli d'un liquide blanchâtre qui me semble plus limpide que celui venant des autres palmiers.

— C'est mon *bangui* préféré, dit le vieil homme à mi-voix comme s'il me faisait un aveu.

Il sort une nouvelle feuille de papier de sa poche.

— Je dois stériliser l'entaille.

Il brûle toute la surface de la cavité, puis remplace le contenant de vin de palme par un récipient vide.

— Tu peux maintenant redescendre.

Je lui obéis. Je ne suis pas mécontent de fouler le sol de nouveau.

— Nous avons enfin ce qu'il faut pour nous désaltérer, approuve le vieux chef en affichant un large sourire.

À peine a-t-il terminé sa phrase que trois hommes arrivent, surgis de nulle part. Je sursaute. Je me demande ce qu'ils font là. Ils nous saluent joyeusement, puis s'assoient en cercle à même le sol ; manifestement, ils attendent que les libations commencent.

— Ça promet, dis-je.

Je ne peux m'empêcher de sourire. J'éprouve même quelque hâte à m'asseoir en compagnie de mes guides et de leurs compatriotes ; j'essaie de refréner un peu mon ardeur.

J'écoute les hommes discuter quelque temps. Il me faut un long moment avant de réaliser que je ne comprends pas un mot de leur conversation. Curieusement, cela ne m'ennuie pas du tout. On dirait que je suis en train d'oublier à quel point leur culture est différente de la mienne.

J'observe encore le vieil homme. Je dois avouer que j'éprouve déjà beaucoup d'affection pour lui. Sa peau est noire comme de l'ébène ; et je suis presque étonné de me rappeler soudain que ce n'est pas là la couleur de la mienne.

Chapitre XVI

Le « cabaret »

Le vieil homme m'invite à profiter du confort d'une bûche ; je refuse poliment, préférant le sol à ce siège peu commode. Il me semble entendre un murmure d'approbation. Cela n'est peut-être que le fruit de mon imagination ; il me plaît de croire que les paysans apprécient que je m'assoie par terre avec eux. Il est vrai qu'ils font une drôle de tête. Je les comprends un peu : voir un Blanc dans cette forêt est sans doute un événement. J'ai cependant le sentiment que cela n'explique pas entièrement leur réaction. J'ai l'impression d'être examiné comme on examinerait quelqu'un que l'on connaît déjà ; mais je ne veux pas trop y songer.

— Il ne doit pas y avoir beaucoup de touristes par ici, dis-je.

Ma remarque n'a pas l'effet escompté. Au lieu de sourire, comme je m'y attends, le vieil homme prend plutôt un air affligé.

— Tu sais, l'intérêt des Blancs pour nous ne va guère plus loin, le plus souvent, que celui de prendre de belles photos.

Il soupire.

— Ils ouvrent grand les yeux, regardent partout, mais ne voient rien.

Je suis un peu surpris par le côté catégorique de son affirmation ; cela lui ressemble peu. Cependant il se ressaisit tout de suite.

— Heureusement, ce n'est pas le cas de tous, dit-il en posant la main sur mon épaule.

Je suis à la fois gêné et ému. Je doute d'être à ce point différent des autres étrangers ; mais peut-être le vieil homme l'estime-t-il sincèrement. Je ne peux que l'espérer de tout cœur.

Comme pour répondre à un appel muet de ma part, le vieux chef se fait alors un devoir de confirmer les paroles de son neveu.

— Beaucoup de touristes passent par la ville. Ils nous fixent avec des yeux étonnés ; mais il est rare qu'ils nous accordent un regard.

Il tousse un peu. Il y a de la rancœur dans sa voix.

— Il ne leur vient jamais à l'idée de nous saluer, poursuit-il. Quand nous leur offrons de partager notre repas, ils déclinent chaque fois notre invitation ; si par bonheur l'un d'entre eux accepte, ce n'est que pour manger du bout des doigts, avec un air dédaigneux qui ne peut nous échapper.

Je sens les paysans un peu embarrassés. Ils n'osent aucun commentaire, comme s'ils approuvaient les propos du vieux chef, mais eussent préféré en même temps qu'il se taise. Or je suis bien obligé d'avouer qu'il a raison. J'ai moi-même éprouvé des réticences à entrer en contact avec les gens de ce pays ; curieusement, je n'arrive plus très bien aujourd'hui à m'en expliquer l'origine. Je réalise en effet que je me sens de plus en plus à l'aise au milieu de mes hôtes. Pour peu, je prétendrais que quelques jours parmi eux suffiraient pour que je sois plus heureux que je ne l'ai jamais été. Je ne sais d'où me vient ce sentiment ; peut-être suis-je en train de découvrir la famille que je n'ai jamais eue.

— En fait, conclut le vieux chef, je n'ai connu avant toi qu'un seul Blanc pour daigner s'asseoir avec nous.

Ses lèvres tremblotent. Il paraît ébranlé. Je voudrais lui demander quel était cet individu-là ; mais je n'y parviens pas.

L'arrivée soudaine de plusieurs autres paysans met un terme à mes velléités. Chacun procède aux salutations usuelles dans la langue du pays. Je me réjouis de ce que ces formules de politesse détournent la conversation ; l'atmosphère se détend rapidement. Stimulé par ma présence, un des hommes entreprend de nous saluer en français.

— Bonjour à tous ! dit-il en me regardant du coin de l'œil.

— Bonjour.

Comme tous ses compagnons, il est habillé sans prétention. Il porte une chemise échancrée, légèrement déchirée, et souillée par le travail de la terre. D'autres sont torse nu, dévoilant des muscles saillants. Les femmes sont toutes vêtues de pagnes. La plupart des gens vont pieds nus.

— Bienvenue au « cabaret », lance le vieux chef à la ronde.

Il paraît avoir tout oublié de sa contrariété.

Les nouveaux venus élargissent notre cercle. La discussion reprend dans une douce insouciance ; les visages me paraissent lumineux. Je me laisse attendrir un moment par le ravissant tableau que forment une mère et son nouveau-né. Elle découvre son joli sein d'un geste nonchalant et commence à lui donner la tétée. En même temps, elle lui caresse les cheveux. Elle ne le fait pas toujours sans rudesse ; mais il y a de la tendresse dans son regard. Elle lui dit des mots doux, le taquine ; mais il n'en a que pour son sein. Je glisse mon index dans sa petite main ; elle se referme dessus avec une énergie insoupçonnée.

— Il est fort !

Un autre enfant, complètement nu, vient de dénicher un caillou ; il s'en sert pour casser une noix de palme, dont il savoure ensuite l'amande avec un plaisir manifeste. Je ne puis bien sûr prétendre que je suis attaché à ces êtres que je rencontre pour la plupart pour la première fois ; mais il me semble soudain que je pourrais facilement le devenir. J'ai le sentiment tout à coup que la vie, forte et têtue, ne réside pas ailleurs que dans le cœur de ces gens auxquels je m'apprivoise tranquillement.

Le vieil homme dépose les trois bidons de vin de palme au milieu de la compagnie.

— Buvons, maintenant.

J'observe de nouveau les paysans réunis à mes côtés. Il y a parmi eux des personnes de tout âge. Cela m'étonne un peu ; je n'ai jamais vécu qu'avec des gens de ma génération. Il me faut un certain temps avant de réaliser à quel point ce détail est troublant : il n'y a jamais eu ni enfants ni grands-parents dans ma vie. Mais je connais à peine mon propre père. « Papa, ai-je écrit un jour, j'ai besoin de te connaître pour savoir qui je suis. » C'était bien, je crois, la première fois que je rédigeais pour lui une lettre en sachant, dès la première ligne, que je ne la lui ferais jamais parvenir. Peut-être est-ce à cette époque que j'ai commencé de me fermer peu à peu.

— Allez, mon fils. Donne à boire à notre hôte, demande le vieil homme au plus jeune d'entre nous.

L'adolescent verse du vin de palme dans la calebasse qui a déjà servi à transférer la sève de l'arbre vers les contenants de plastique. Je tends la main, mais il garde la calebasse avec lui, répand quelques gouttes de vin de palme sur le sol et avale le reste d'un trait. Il secoue ensuite la calebasse pour la débarrasser de ses dernières gouttes. Puis il la remplit de nouveau et me prie d'y boire à mon tour.

— Verse d'abord un peu de *bangui* sur le sol en offrande aux ancêtres, me conseille le vieil homme.

J'obéis sur-le-champ, imitant le geste de mon prédécesseur.

— Tu peux boire, à présent.

J'avale une toute petite gorgée. Je n'ai jamais rien goûté de semblable. La saveur, à vrai dire, ne me plaît pas tellement ; j'essaie cependant de ne pas trop le montrer. Je bois une deuxième gorgée, plus petite encore que la précédente. Tout le monde a les yeux fixés sur moi ; cela m'intimide. J'essaie d'attirer l'attention sur quelqu'un d'autre ; je choisis de m'adresser au vieux chef.

— Vous parlez très bien notre langue, dis-je. Où l'avez-vous apprise ?

Il m'examine longuement. On dirait qu'il cherche les mots appropriés pour me répondre, comme s'il voulait me confier un secret, mais avait en même temps du mal à s'y résoudre. Un des paysans en profite pour prendre la parole à sa place.

— C'est le genre de choses qu'il vaut mieux taire devant les étrangers.

J'avale une gorgée de travers et le regarde, ahuri.

— Il nous faut, au contraire, en parler, réplique le vieux chef.

Il a à peine terminé sa phrase que tout le monde se met à discuter, passionnément, dans le plus grand désordre. Les gens s'expriment avec tant de ferveur que je ne sais bientôt plus où me mettre ; je crains d'avoir suscité par mes propos un conflit insoluble. En même temps, je n'ai aucune idée des arguments de chacun ; je devine seulement que certains partagent le point de vue du paysan, alors que d'autres, parmi lesquels se trouve le vieil homme, semblent d'avis contraire. Je m'en veux de ma question indiscrète ; elle me semblait si anodine.

— Ne t'en fais pas pour cela, me souffle le vieil homme.

Les esprits, effectivement, se calment aussi vite qu'ils se sont échauffés. Les paysans en viennent à parler plus posément, puis se taisent l'un après l'autre. Le vieil homme entreprend alors de m'expliquer la nature du conflit.

— Il ne faut pas t'inquiéter de nous avoir rappelé de vieux événements que plusieurs d'entre nous préféreraient oublier, dit-il d'un ton solennel. Tu t'es exprimé en toute innocence : tu ne peux pas savoir ce que nous avons vécu à l'époque où ton père lui-même n'était qu'un enfant.

Je suis déjà rassuré.

— Mon père, ainsi que plusieurs hommes, a subi les travaux forcés, dit-il.

Il prend une longue inspiration avant de continuer.

— Les troupes coloniales l'ont réquisitionné pour porter à dos d'homme, jusqu'au port de la ville, les sacs de café et de cacao dont la métropole avait besoin. Inutile de te dire qu'il en garde un mauvais souvenir.

Je suis un peu surpris. Je pensais que tout cela appartenait à un passé si lointain que tout le monde avait fini par l'oublier.

— Tu comprendras, poursuit-il, qu'il répugne à en parler, bien qu'il juge important de le faire : il ne voudrait pas que tu sois mêlé à cette affaire.

Je regarde le vieux chef. Je comprends mieux maintenant l'agitation inquiète, voisine de la colère, que j'avais cru lire dans son regard à notre première rencontre. Elle s'est pourtant estompée, me semble-t-il, pour céder la place à une apparente indulgence.

— Il n'est toutefois pas le seul homme au village à avoir souffert de la sorte. Plusieurs autres, y compris celui qui a insisté pour que mon oncle se taise, ont été contraints de construire des routes pour le régime colonial ; je ne dirai pas dans quelles conditions ils l'ont fait. Cela ne les empêche pourtant pas d'espérer que ton séjour parmi nous te soit agréable ; c'est d'ailleurs pour cela qu'ils jugent que certains faits doivent échapper à ta connaissance. Pour ma part, j'estime qu'il est bon que tu saches ce qui s'est passé. Voilà où certains d'entre nous divergeons d'opinion.

Je me tourne vers le vieux chef.

— Je suis désolé, dis-je.

— Ne te fais pas trop de souci pour moi, réplique-t-il. J'ai pu m'en sortir sans trop de cicatrices.

Il rit.

— Mais mon fils en a déjà trop dévoilé, poursuit-il. Il faut cependant que tu saches que, si je nourris quelque rancune envers certaines gens pour ce que j'ai vécu autrefois, cela ne m'empêche pas de savoir discerner le bon du mauvais homme. Or je sais que tu n'es pas mauvais.

Cela me réconforte. J'aimerais en savoir davantage, mais je sens que les paysans ont le goût de passer à autre chose ; ils paraissent s'impatienter.

— Le *bangui* est à toi, lance l'un d'eux, mais la calebasse ne t'appartient pas.

Tout le monde se met à rire. Le vieil homme m'enjoint de terminer ma ration de vin de palme. Je m'empresse de lui obéir et remets la calebasse au jeune homme. Il la remplit de nouveau, mais au lieu de l'offrir à mes voisins, il se tourne encore vers moi. Je proteste.

— Il faut en donner aux autres...

— C'est à toi de boire, insiste le vieil homme. Tu as droit à deux calebasses d'affilée.

Je m'exécute contre mon gré ; mais je n'arrive pas à avaler grand-chose. Une fourmi est accrochée à la paroi de la calebasse ; je l'enlève discrètement. Je n'ai pas envie de boire ; mais ai-je vraiment le choix ? Je ne sais plus quoi faire. Or ce n'est pas la première fois que je me demande comment agir dans ce pays. Peut-être serait-ce plus facile si je savais comment mon père, avant moi, s'est conduit ; mais je ne sais même pas si son comportement était apprécié. Il suffit pourtant de lire ses lettres pour s'en convaincre : « J'ai retrouvé ici une famille. »

— Hum ! hum !

Les paysans n'en peuvent plus d'attendre. J'aimerais les interroger encore sur un sujet quelconque pour gagner du temps ; mais une seule question me tourmente, que je ne puis me résoudre à poser pour l'instant. Je parle néanmoins et je suis le premier surpris de m'entendre.

— Dites-moi, à propos de cet homme...

Je n'ose pas lever les yeux. Je sais pourtant que le vieil homme a le regard fixé sur moi.

— Quel homme ?

— Le Blanc dont il était question tout à l'heure, ai-je le courage de murmurer.

Il y a un moment de silence. Je sens qu'il hésite à répondre, comme s'il voulait m'épargner le plus difficile.

— Il s'agit de Yapo.

Je frissonne. Bien des choses sont dites ensuite ; mais je n'y entends plus rien. Trop de pensées se bousculent dans ma tête.

— Lorsqu'il est arrivé ici, Yapo pouvait boire à lui seul des litres de *bangui*, raconte un des hommes quand je refais surface.

Plus personne ne rit. On entendrait voler une mouche.

— Aujourd'hui, il n'a même plus la force de boire, se désole le vieil homme.

Je lève brusquement la tête et le regarde droit dans les yeux. Il me vient l'envie de pleurer ; mais je m'y refuse. Il serre ma main dans la sienne ; je me rends compte soudainement qu'il a pris dans ma vie une place qui pourrait difficilement être comblée par quelqu'un d'autre. Je l'aime beaucoup.

— Vous me faites penser à...

Je n'arrive pas à terminer ma phrase.

— Vous lui ressemblez tellement.

Je porte le vin de palme à mes lèvres et l'avale à grandes lampées. Puis, sous le coup d'une impulsion, je jette ce qui reste aux pieds du vieux chef.

— Dites-moi, s'il vous plaît, ce que vous y voyez.

Il se penche aussitôt pour analyser mes éclaboussures. Le temps qu'il met avant de se relever me paraît une éternité. Il jette un coup d'œil indécis du côté de son neveu, comme s'il voulait obtenir son approbation avant de parler ; celui-ci lui donne son assentiment d'un mouvement de tête.

— Il y a peu de chance que Yapo survive à la pleine lune. Tout indique cependant que sa mort sera douce.

Chapitre XVII

Un feu de bois

Dans un des pièges, nous trouvons un gros rat de brousse. Il a la taille d'un chat, mais les traits de son anatomie sont bel et bien ceux d'un rat : ses oreilles sont rondes et menues ; sa queue est glabre et paraît aussi longue que le corps lui-même ; ses pattes sont munies de petites mains aux doigts frêles ; et sa gueule est ouverte sur de longues incisives. Il se pourrait que son museau soit moins effilé que celui du rat d'égout ; mais je ne suis plus sûr à présent que ce dernier ait le nez pointu. Quoiqu'il en soit, la différence entre les deux animaux, si elle existe, m'apparaît bien mince.

Le vieil homme retire le rat du piège et le jette en l'air dans ma direction. Je ne peux qu'ouvrir les mains et l'attraper, malgré ma répugnance à le faire. Son corps est brûlant ; j'ai peine à croire qu'il n'y ait plus de vie en lui. Je sens une chaleur diffuse pénétrer par la paume de mes mains ; c'est une sensation bizarre. Je songe que le corps d'une femme bien vivante n'est pas plus chaud ; mais ce parallèle me déplaît et j'essaie de l'évacuer de mon esprit.

Le vieux chef me retire le rat des mains pour le déposer dans son sac, pendant que le vieil homme entreprend de récupérer les graines de palme qui ont servi à l'attirer dans le piège. L'animal n'a même pas eu le temps de profiter un peu de ce goûter : la mort est décidément bien cruelle. C'est pourtant de la mort des uns que dépend la vie des autres. J'aimerais bien saisir la finalité de cet étrange phénomène. La mort n'est peut-être qu'une illusion : la vie, toujours, triompherait.

Nous reprenons le chemin de la paillote. La nuit descend rapidement ; bien que le ciel soit encore lumineux, la forêt est déjà plongée dans l'obscurité. Les arbres n'en paraissent que plus gigantesques ; je me sens tout petit en comparaison. Nous pressons un peu le pas.

Au moment où nous entrons dans la trouée qui annonce la clairière, un serpent de trois mètres de long fait subitement irruption au milieu du sentier. Mon cœur ne fait qu'un bond ; mais le serpent ne se soucie guère de ma présence et passe devant moi telle une eau courante. J'essaie de suivre des yeux sa ligne mouvante ; on dirait qu'elle s'allonge à l'infini. Elle disparaît bientôt dans l'ombre.

Je reste paralysé.

— Ne crains rien, dit le vieux chef quand il arrive à mes côtés. Ce serpent n'est pas dangereux.

Il glisse sa main sous mon bras.

— Il est en effet l'ancêtre et l'enfant, l'origine et la fin. Il est celui qui demeure.

Ces paroles énigmatiques ne parviennent pas à me délivrer de ma torpeur. Il me vient en mémoire un rêve dont les images ont toujours revêtu pour moi les couleurs d'un cauchemar. Sous le lit d'une femme offerte, un serpent s'enroulait sur lui-même, jusqu'à ressembler à une matrice. Le ventre de la femme se mettait à enfler, lentement, puis s'épanouissait comme une fleur. Je me réveillais en sursaut, couvert de sueurs, balbutiant des propos inintelligibles. Aujourd'hui, cependant, j'aurais presque envie de sourire à cette femme. J'hésite encore à accueillir le nouveau-né dans mes bras ; mais je pressens qu'il y a dans l'existence de ce petit être quelque chose de prodigieux, dont la découverte m'attire autant qu'elle m'effraie.

Le vieil homme revient sur ses pas pour me prendre le bras à son tour.

— Ce n'est qu'un python, dit-il. Ce petit serpent est sans danger.

Il paraît détendu. Je lui souris ; il semble étonné, mais ravi de ma réaction. Je me remue aussitôt et prends les devants sur le sentier ; les deux hommes n'ont d'autre choix que de me suivre.

En pénétrant dans la clairière, j'aperçois tout de suite une femme qui s'affaire près de la paillote. J'ai tôt fait de reconnaître l'épouse du vieil homme. Elle est occupée à entretenir un feu de bois sur lequel sont posées deux marmites.

Ses lèvres s'épanouissent dans un beau sourire quand elle nous voit venir.

— Vous avez passé une bonne journée ? dit-elle.

Je cligne de l'œil en direction de mes guides.

— Nous nous sommes bien amusés.

— Vous avez un peu bu, on dirait.

— À peine, corrige le vieux chef.

— Et ensuite ? demande-t-elle. Qu'avez-vous fait d'autre ?

Son sourire ne l'a pas quittée.

— Nous avons récolté le *bangui*, répond son mari.

Elle éclate de rire.

— J'espère au moins que vous nous rapportez de quoi manger.

Nous nous asseyons autour du feu. Le vieux chef sort le rat de brousse de son sac.

— Je vais m'en charger, dit-elle en le lui arrachant des mains.

Elle fend le ventre d'un coup de couteau, puis le vide de ses entrailles en un tournemain. Elle le nettoie ensuite avec un peu d'eau. Ses gestes sont simples, mais précis. J'ai même la surprise de les trouver beaux : il me semble qu'elle manie l'animal avec une attention pleine de douceur. Je songe que Léa a les mêmes mains qu'elle.

— On mange aussi le rat de brousse chez vous ?

Je réponds par la négative.

Elle jette l'animal dans les flammes. Les poils se consument rapidement ; une odeur de soufre se répand dans l'air. Je suis pris de nausée. Est-ce là notre destin ? Je pense à mon père qui pourrait disparaître sans que j'aie pu vraiment le connaître. Se pourrait-il que je ne retienne de lui, après son départ précipité, que le souvenir d'un mutisme prolongé et d'un sentiment de culpabilité qui le contraignait à s'excuser, dans chacune de ses lettres, de n'avoir pas écrit plus tôt ? Il vaut peut-être mieux que je tue ce mauvais père dont je conserve l'image en moi, une image tellement décevante qu'elle me paralyse, m'empêchant de mener en toute confiance ma propre existence.

J'écoute le feu qui crépite ; cela me calme un peu. Il me semble que les flammes donnent au rat une pureté nouvelle. Peut-être le feu lui permet-il de se régénérer.

Je reporte mon attention sur l'animal. Sa peau, calcinée, est devenue noire comme du charbon. De temps en temps, la cuisinière retourne la carcasse pour qu'elle cuise de façon uniforme.

— Tu dois avoir faim.

J'approuve d'un hochement de tête.

— Nous pouvons déjà entamer le manioc et l'escargot. Nous mangerons le rat ensuite.

Léa arrive sur ces paroles, un seau d'eau sur la tête. La nuit est tellement sombre que je ne l'ai pas vue approcher. Je m'étonne que l'obscurité soit venue si vite ; c'est pourtant ainsi chaque jour depuis mon arrivée.

— Bonsoir. Tu es content de ta journée ?

— J'en suis très heureux.

J'ose à peine la regarder. Il a suffi d'un mot de sa part pour qu'un grand trouble s'empare de moi. Je ne saisis pas très bien d'où me vient une émotion d'une telle intensité ; j'ai l'impression de n'avoir pas vécu cela depuis des années.

— Je vois que vous vous apprêtez tous à manger. J'ai apporté de l'eau…

Elle me demande d'allonger les bras devant moi. Je m'exécute et elle verse un peu d'eau, à l'aide d'une calebasse, sur mes mains ; je les frotte l'une contre l'autre pour les débarrasser de leur saleté. Je la regarde effectuer le même geste avec les deux hommes, puis laver sa main droite à son tour ; l'eau s'écoule de la calebasse en un mince filet.

— Pardonne-nous ce maigre repas, s'excuse le vieil homme. Nous n'avons pas ici ce qu'il faut pour piler le *foutou* ; nous devrons nous contenter de manioc bouilli.

À sa demande expresse, je m'empresse de saisir un morceau de manioc. Je le trempe dans la sauce et le porte à ma bouche ; à mon grand soulagement, je constate que la sauce ne contient que très peu de piment.

— Elle est faite de graines de palmier, m'apprend le vieil homme.

Elle est délicieuse ; je comprends mieux le rat de brousse, à présent, de s'être si facilement laissé prendre au piège.

Mes deux compagnons commencent à manger eux aussi.

— Prends un peu d'escargot, me suggère le vieux chef.

Léa choisit un morceau pour moi.

— Goûte. Tu verras, c'est très bon.

L'escargot est énorme. Je m'en empare avec précaution, effleurant du coup la main de Léa ; elle ne semble pas y porter attention. Elle m'encourage plutôt à croquer dans la chair sans perdre une seconde. Je m'exécute. De la sauce dégouline sur mon menton.

— Tu manges comme un enfant, raille-t-elle.

Je rougis ; mais cela ne se voit sans doute pas dans l'obscurité.

La chair de l'escargot est un peu élastique ; mais son fumet est agréable. Je mange avec appétit ; tout le monde paraît satisfait.

— Je vois que tu prends plaisir, toi aussi, à savourer la chair des coquillages, dit l'épouse du vieil homme.

Elle a pris un ton moqueur. Mes hôtes me regardent d'un air amusé. Je ne suis pas tout à fait sûr de bien comprendre ce qu'elle veut insinuer par là.

— Mange encore, insiste Léa.

J'ai l'impression que sa voix tremble un peu.

— Il n'y a rien de mieux pour soigner ta fertilité, ajoute-t-elle.

Tout le monde éclate de rire. Je suis un peu surpris.

— Grâce à l'escargot, explique le vieil homme, il nous est possible de retrouver le souffle des morts. Il nous donne vie et fécondité.

Je me sens tout à coup agité et fébrile. Je ne peux m'empêcher de songer que Léa ne répugnerait pas à me voir essayer de la séduire. Peut-être même cherche-t-elle à m'enjôler, tandis que les membres de sa famille marquent leur assentiment par des allusions vulgaires. Mais je dois rêver. Le vieil homme découpe pour moi une des pattes du rat de brousse. J'hésite longtemps avant de mordre dans la chair : les doigts de l'animal m'inspirent un profond dégoût.

J'avale un morceau en essayant de ne pas trop y penser. Contre toute attente, je découvre une chair savoureuse. Elle est très parfumée ; j'en déguste l'arôme en songeant qu'il s'agit peut-être là du reflet de son âme.

Chapitre XVIII

La terre d'Afrique

J'ai peine à croire qu'il ait été si simple de prendre congé quelques minutes pour nous retrouver seuls tous les deux. Pourtant, c'est bien la main de Léa qui serre la mienne pour m'entraîner dans la forêt. La nuit est noire et je trébuche sur le moindre obstacle ; elle rit à chacune de mes maladresses et je découvre, derrière ses lèvres charnues, ses belles dents blanches de femme.

— Allez, viens.

Elle tire sur ma main avec insistance ; je me laisse guider sans résistance, le cœur battant, sans trop m'étonner qu'elle trouve si facilement son chemin dans l'obscurité quand pour ma part je ne vois presque rien. Elle s'arrête bientôt au pied d'un grand arbre au bois massif et fait si brusquement volte-face que je me retrouve presque collé à sa bouche. Je respire sa fraîche odeur de terre mouillée ; elle me regarde avec intensité.

Je m'approche un peu d'elle ; elle me repousse faiblement. Elle met ensuite ses mains derrière le dos, sans me quitter des yeux, et s'appuie délicatement sur le tronc de l'arbre. Ce faisant, elle cambre un peu les reins. Je pose alors mon bras sur l'arbre, tout près de son épaule. En sentant l'écorce rugueuse sous la paume de ma main, je ne peux cependant m'empêcher d'avoir une pensée pour mon père. L'idée de sa mort m'obsède. Curieusement, mon désir pour Léa n'en devient que plus fort. Elle est comme un beau jardin, une corbeille de fruits, la terre nourricière aux mamelles gorgées de lait frais.

Je pose une main sur sa hanche. Elle a la hanche pleine, la hanche qu'il faut pour faire des enfants. Moi qui n'ai jamais aimé que des filles fleurs dont je redoutais le fruit, voilà que je suis attiré par la femme matrice, mère et amante à la fois, grasse de toute sa graisse de femme féconde. Elle retire brusquement ma main et se réfugie derrière l'arbre ; je n'ai toutefois pas manqué d'apercevoir son sourire et ses yeux brillants d'une vie à laquelle hier encore je croyais ne jamais pouvoir avoir accès. Je la rejoins donc sans attendre ; mais elle me quitte aussitôt pour aller s'adosser à un autre arbre.

— C'est celui-ci que j'ai choisi, dit-elle en entourant le tronc de ses bras nus.

C'est un jeune arbre au tronc lisse. Je m'approche encore. Elle rit à gorge déployée.

— Qu'est-ce que tu me veux ?

— Rien.

— C'est vrai ? Tant pis…

Croisant devant elle ses bras sur sa taille, elle attrape cependant le pan de sa chemisette et s'en défait en un geste leste et gracieux qui me laisse pantois.

— Qu'est-ce qu'il y a ? demande-t-elle. Je ne te plais pas ?

Elle a un sourire malicieux. Je lui prends la main pour l'amener jusqu'à moi.

— Attends, dit-elle.

Elle effleure mon cou du bout des lèvres, puis, sans hâte apparente, entreprend de dégrafer les boutons de ma chemise ; mais elle l'arrache ensuite sans ménagement.

— C'est mieux comme ça, me confie-t-elle tandis qu'elle caresse ma poitrine avec ses doigts agiles.

Elle s'enfuit pourtant, une fois de plus, le corps secoué par un rire en cascade. Je la poursuis entre les arbres, à bout de souffle, et la rejoins bientôt, haletant. Elle pose un baiser furtif sur mon épaule ; puis elle m'échappe de nouveau. Quand je la rattrape enfin, c'est pour sauter à sa bouche, chaude et goulue, pendant qu'elle défait hâtivement ma ceinture. Après avoir fait tomber mon pantalon à mes pieds, elle me repousse cependant de façon si soudaine que je me retrouve par terre, les pieds entravés ; elle est prise d'un si grand rire qu'elle n'a même plus la force de courir. Je mets du temps à me relever, tellement je suis abasourdi ; mais je ne suis pas encore debout qu'elle a déroulé son pagne, d'un mouvement souple du bras, puis retiré sa culotte en levant l'une après l'autre ses jambes luisantes.

— Finis d'enlever ton pantalon, ordonne-t-elle d'une voix qui n'admettrait aucune protestation. Vite !

Je n'ai nullement l'intention de protester ; je m'exécute rapidement. Je constate en même temps que nous sommes de nouveau au pied du jeune arbre ; elle s'y appuie et me regarde d'un air résolu. C'est un bel endroit : je ne suis pas mécontent de me trouver là.

— Viens, maintenant, chuchote-t-elle.

Je n'ai aucune difficulté à l'entendre. Je m'approche lentement.

— Vite, crie-t-elle, tout de suite !

Ses mains courent partout sur mon visage. Son corps est brûlant. Je la serre contre moi et elle mord à mon cou avec une rage à peine contenue. Ses cuisses, fermes et musclées, sont tendues comme un arc ; mais elles se détendent lorsque ma main ouvre un sentier humide au milieu d'elles. Elle se fait douce un temps, puis retire ma main et vient chercher mon sexe durci pour le guider où elle veut. Tandis que je pénètre en elle, ses mains s'agrippent solidement à mes épaules. Elle se balance ensuite, me griffe, me déchire la peau, et parvient presque à m'arracher des larmes quand elle crie, soumise comme moi à un flot continu d'émotions qui surgissent d'une mer profonde, dont le mystère insaisissable et pourtant presque palpable me semble à l'instant celui de la vie même.

Mais les cris cèdent bientôt la place au rire et nous rions comme deux enfants, trempés de sueur mêlée au goût d'orange et d'amande salée. Les gestes de Léa deviennent plus doux et les miens s'accordent tout naturellement aux siens. J'embrasse son cou tendrement ; elle caresse mon épaule. J'effleure son bras ; elle mordille mon sein. Je reste en elle encore un peu, savourant la chaleur moite et moelleuse qui m'enveloppe. Quand je fais mine enfin de vouloir me retirer, elle essaie de m'en empêcher en contractant les muscles de son périnée.

— Pas tout de suite, me supplie-t-elle, comme si elle tenait à me garder en elle toute sa vie.

Cependant une quinte de toux, à laquelle elle se soumet sans y prendre garde et dont les secousses se répercutent dans tout son corps, a tôt fait de m'expulser bien malgré elle.

Je feins de vouloir la consoler.

— De toute façon, je n'aurais pas pu rester là encore très longtemps.

Elle rit.

— Mais j'y reviendrai tout à l'heure, si tu le veux bien, dis-je d'un ton espiègle.

— Il faudra faire vite, réplique-t-elle. Sinon, j'en connais qui vont s'inquiéter de notre absence.

Elle reprend mon sexe dans sa main. J'effleure de la paume ses fesses rebondies.

— Tu connais le chemin du retour ? dis-je.

— Bien sûr.

— Tu le connais bien ?

— Très bien.

— Alors, on a peut-être encore le temps.

Chapitre XIX

Le jeu des mouches à feu

Elle a la tête appuyée sur le tronc de l'arbre et sourit. J'enfouis mon visage au creux de son épaule. Je sens la chair ferme de ses fesses rondes sur mon ventre et la chaleur de son dos de félin qui pénètre ma poitrine. Je la serre entre mes bras, frôlant doucement de mes doigts le poil court et crépu de son mont de Vénus ; ses mains embrassent le tronc de l'arbre, comme si c'était à lui qu'elle venait de faire l'amour.

Je pose une main sur son ventre. Je songe qu'un enfant pourrait y naître, fruit de nos amours soudaines. Curieusement, cette idée ne trouble pas ma quiétude. Il n'est pourtant pas loin le temps où toutes les précautions prises pour éviter d'avoir un enfant ne suffisaient pas à m'affranchir de mes craintes de voir l'indésirable se produire, transformant en horreur un doux plaisir passager. Aujourd'hui, je m'étonne presque d'avoir été la proie de pareils sentiments par le passé. Il me semble même que ce serait indigne de refuser de donner la vie quand on me l'a si généreusement offerte. Mais il y a le corps de Léa contre moi, et ce grand arbre qu'elle caresse délicatement de la paume de sa main.

— Tu veux des enfants ? dis-je.

— Évidemment.

— Qu'attends-tu alors pour en faire ?

— J'attends de trouver un homme qui me plaise.

Elle rit doucement.

— Et toi ?

— Moi ?

— Oui, toi.

J'invente alors l'histoire d'un homme qui avoue un jour à son amante qu'il ne saurait envisager d'avoir un enfant avec elle, bien qu'il se sente si bien en sa compagnie. En entendant ces paroles, celle-ci voit sa vie s'effondrer ; elle le quitte aussitôt. Commence alors pour cet homme un long cheminement. Il constate d'abord, à son grand étonnement, qu'aucune des femmes de son entourage ne semble posséder les qualités nécessaires pour devenir la mère de ses enfants ; il apprend ainsi qu'il est peut-être lui-même à l'origine du problème. Il se rend compte ensuite à quel point la présence de son amante lui manque ; n'y tenant plus, il décide de s'en ouvrir auprès d'elle. Espérant qu'il soit enfin prêt à s'abandonner, elle le laisse s'approcher un peu. Il s'ouvre lentement, apprivoisant peu à peu ses sentiments. Puis il s'aperçoit combien elle est belle. Sans trop y songer, il lui fait un enfant, convaincu qu'il a enfin trouvé la femme capable de lui offrir ce cadeau.

— Et il a raison, tu crois ?

— J'ai presque envie, aujourd'hui, d'y croire.

— Cet homme, c'est un peu toi, n'est-ce pas ?

— Peut-être bien.

La lune apparaît lentement à travers les branches. C'est aujourd'hui la nuit de la pleine lune. Je prends peu à peu conscience de la forêt qui m'entoure, étonné de n'avoir pas été effrayé par sa noirceur ; la pensée qu'un grand fauve pourrait s'y cacher pour nous sauter dessus au moment opportun ne m'a même pas effleuré l'esprit en venant jusqu'ici.

— Il faut rentrer, dit-elle.

Je quitte la chaleur de son corps à regret et nous partons à la recherche de nos vêtements éparpillés sur le sol. Pendant qu'elle se glisse dans sa culotte, j'enfile lentement ma chemise ; mais je sens bientôt une vive douleur, comme une brûlure, sur mon dos.

— Aïe !

Je me mets à hurler. Léa accourt en finissant à grand-peine de remonter sa culotte. Elle se penche sur moi ; je sens ses doigts qui me pincent la peau.

— Une fourmi !

Elle la jette par terre et éclate d'un grand rire sonore.

— Tout ça pour une minuscule fourmi ! Et moi qui te croyais à l'article de la mort !

— N'exagère rien..., dis-je un peu honteux.

J'ai pourtant l'impression de m'être fait arracher la peau.

— Secoue ton pantalon avant de l'enfiler, me conseille-t-elle quand même sans quitter pour autant son air railleur. Il ne faudrait pas que les fourmis dévorent un si bel objet...

En disant cela, elle me fait don d'une douce caresse. Puis elle m'aide à remettre mon pantalon : elle relève ma fermeture éclair avec précaution et boucle ma ceinture. Elle reboutonne ensuite ma chemise, puis pose un baiser sur mon cou avant de courir revêtir le reste de ses habits.

Sur le chemin du retour, je réfléchis à l'aventure qui m'arrive. Je me demande ce qu'en penserait le vieil homme s'il était au courant ; mais peut-être a-t-il tout deviné. Je m'étonne aussi de ce que Léa n'ait pas mis plus de réserve à rencontrer un homme d'une autre race. Je lui fais part de ma réflexion.

— Mais il y a de l'Africain en toi, proteste-t-elle. Tu n'en es peut-être pas conscient ; mais je vois bien que l'Afrique t'est entrée dans le cœur. Et je sais qu'elle n'en sortira plus.

Sa réponse me surprend en même temps qu'elle me fait grand plaisir.

— Et puis j'ai vu comment tu regardes mon oncle, ma tante et Kouakou, me confie-t-elle ensuite. Ton regard me plaît.

Nous gardons le silence tous les deux. Je ressens pour elle une bouffée de tendresse. Je songe aussi au vieil homme et à son épouse, et cette pensée me réchauffe le cœur. Puis je souris en imaginant Kouakou en train de grimper à un arbre pour y cueillir une mangue.

Une flamme se dessine dans la nuit : nous approchons de la clairière. Tout à coup, des créatures étranges jaillissent de derrière les arbres ; elles viennent prendre de mes nouvelles et me tenir un peu compagnie. Elles paraissent heureuses de me trouver là. Il en est même une pour me montrer Léa d'un petit mouvement de tête, puis cligner d'un œil complice dans ma direction, comme si elle voulait me féliciter de mon choix ; mais elle s'évanouit avec ses comparses dès que nous entrons dans la clairière.

La lune illumine le ciel. Je me demande si ces êtres mystérieux accueilleraient mon père parmi eux s'il venait à mourir ici. En pensant à lui, il me vient une envie subite de le serrer dans mes bras ; voilà plusieurs années pourtant que je croyais que ce besoin m'avait quitté. Mon père mourra et je commencerai à peine à l'aimer ; mais du moins aurai-je appris à le faire. Cette pensée me chagrine, mais elle m'apporte également un peu de bonheur : je sais que je suis prêt maintenant à le revoir.

Le vieil homme me prie de venir m'asseoir auprès de lui au bord du feu. Son sourire généreux me fait le plus grand bien : j'ai l'impression de renaître un peu.

Le feu crépite. Un hibou hulule. Une luciole égarée clignote dans la nuit son appel à l'amour ; un petit scintillement lui répond, puis un autre, et bientôt je confonds la lueur des mouches à feu avec celle des étoiles.

Chapitre XX

Le tam-tam

La lune est toute ronde. Comme la peau tendue d'un tambour, me dis-je en me laissant emporter par le rythme du tam-tam. Quelques paysans, qui nous ont rejoint depuis une heure, dansent ensemble au milieu de la clairière. Ils me pressent de les accompagner ; mais je refuse d'acquiescer à leur demande. Je préfère rester assis à les regarder, distraitement, en caressant doucement les cheveux de Kouakou, arrivé en même temps qu'eux, et qui s'est endormi sur mes genoux. Je l'examine de temps en temps, surpris qu'il parvienne à dormir en toute quiétude malgré le vacarme qui nous entoure. J'observe ensuite Léa. Elle se meut avec tant de grâce que j'en suis émerveillé. Je note que son charme n'est pas sans parenté avec celui de sa tante : elles ont plusieurs gestes en commun. C'est d'abord une flexion de la main ; puis, un roulement de hanches. Il leur arrive aussi d'être transportées toutes deux par un éclat de joie dont elles ressortent transfigurées. Je les regarde longuement ; mais la plupart du temps, je ferme les yeux, pour mieux entendre les battements du tam-tam que je sens rouler dans mon ventre, comme si celui-ci devenait une caisse de résonance dont la mission était d'amplifier la voix de mon âme. Je ne perçois pas encore très bien tout ce qu'elle me raconte ; mais j'ai l'impression d'en saisir ici et là quelques bribes.

— Bienvenue, mon enfant.

Je lève les paupières. Une vieille décrépite a penché sur moi son visage et me fixe des yeux. J'ai d'abord un sursaut de frayeur. Ses traits sont affreusement laids, presque monstrueux : une bouche tordue qui s'ouvre sur des gencives tuméfiées où tiennent à grand-peine une incisive et deux ou trois molaires ; un nez cassé, écrasé, d'une telle difformité que je me demande s'il lui permet de respirer à son aise ; de larges oreilles en éventail ; des cheveux en bataille ; et des yeux globuleux, enfoncés dans leur orbite, hagards une seconde, effarouchés, puis presque doucereux lorsqu'ils s'attardent sur moi.

Je parviens à balbutier quelques mots de remerciement. Elle relève lentement la tête et se tourne comme pour partir. Je constate alors que ses jambes, elles aussi, sont difformes, et qu'elle doit s'appuyer sur un bâton pour pouvoir tenir debout. Au lieu de s'en aller, elle fait toutefois le geste de s'asseoir à mes côtés et je dois me pousser pour lui faire un peu de place auprès de moi. Elle s'installe sans mot dire et observe les danseurs ; je préfère l'imiter, épouvanté, en songeant qu'une femme aussi laide n'a pu que sombrer un jour dans la folie.

Le son du tam-tam me paraît de plus en plus lourd. Kouakou s'éveille, les yeux bouffis de sommeil ; il me laisse pour aller se blottir dans les bras du vieil homme. Je me sens tout à coup oppressé par le sentiment que l'irrémédiable s'apprête à se produire : un événement sur lequel ni moi ni personne n'avons d'emprise, contre quoi il ne servirait à rien de lutter, mais pour lequel il convient de me préparer soigneusement, sans quoi je risquerais de ne jamais pouvoir en assumer les conséquences. Je respire de plus en plus difficilement ; je ne sais d'où me vient ce malaise. Je n'entends presque plus rien, si ce n'est le grondement du tam-tam qui résonne dans mon ventre.

Un petit serpent vert se glisse au milieu des danseurs. Ils se dispersent aussitôt en poussant des cris de terreur. C'est à ce moment que le masque fait irruption parmi nous.

Je suis immédiatement subjugué. Avec la tête et le tronc, il exécute de grands mouvements circulaires qui semblent nous englober tous ; j'ai l'impression d'assister à la naissance de l'univers, à la création du temps et de l'espace. Il est évident que ma propre naissance est elle aussi inscrite dans ces gestes ; comme pour me le confirmer, le danseur masqué se tourne alors vers moi. Et je sais que c'est à moi qu'il s'adresse en devenant cet enfant qui naît, puis grandit au milieu des siens avec des cris de joie ; mais il éclate bientôt en sanglots, sans pouvoir s'arrêter.

— Tu ressembles beaucoup à Yapo.

La vieille infirme marmonne à côté de moi des paroles que j'ai peine à saisir ; mais ce sont des mots que je refuse d'entendre. Le masque s'avance vers moi ; il se transforme subitement en un jeune adolescent qui fait pleurer les filles. La musique du tam-tam bat de plus en plus fort au creux de mon ventre.

— Tu lui ressembles plus que tu ne le crois, prononce-t-elle ensuite.

Le danseur masqué effectue à présent des gestes qui me semblent obscènes ; il y a toutefois en eux une beauté qui m'envoûte. Je vois Léa dans un éclair, à dix pas de moi ; j'ai pourtant l'impression qu'elle se trouve à mes côtés, posant la main sur mon genou, tandis que je me mets à trembler.

— Yapo ne nous a jamais dit qu'il avait des enfants ; mais nous l'avons toujours su, dit encore la vieille infirme.

Un douloureux spasme m'étreint la poitrine. Le danseur marche à petits pas ; son dos se voûte ; ses mains se couvrent de gerçures. Le grondement du tam-tam me déchire le cœur.

— On ne peut nier éternellement les liens qui nous unissent. Tu vis en lui, jusqu'au plus profond de ses entrailles, et c'est son propre sang qui coule dans tes veines.

Je saute alors sur mes jambes et me mets à hurler. Mon corps est secoué par de grands soubresauts et je crie sans pouvoir m'arrêter. Je vois le masque collé sur moi, je le sens jusque dans les puanteurs de son haleine, et je suis attiré dans un tourbillon jusqu'au creux de ses orbites. Or tandis que mon visage se convulse, que mes bras se tordent et que mes jambes se tortillent, je crois apercevoir la figure de mon père. Ma chair est traversée encore par de brutales secousses. Mon père va bientôt mourir, j'en souffre terriblement, mais je ne peux plus refuser de le voir. Celui qu'on a nommé Yapo, mon père que j'ai à peine connu, va bientôt m'échapper, j'en ai maintenant la profonde certitude. Je sais pourtant que je le retrouve aussi tandis que j'entre en transes, renversant tout sur mon passage. Peut-être se cache-t-il près d'ici ; mais je ne vois plus rien, si ce n'est, comme dans un rêve, le vieil homme qui me tient la main, Léa qui se pend à mon cou et Kouakou qui saute sur mes genoux. Je les sens maintenant dans mon ventre, car j'ai enfin un ventre pour sentir, je les sens aussi dans mon cœur qui palpite, je les sens au fond, au tréfonds, au plus profond de moi.

Chapitre XXI

Un père en soi

Quand j'ouvre les yeux, je découvre, penché sur moi, le visage de l'épouse du vieil homme. Elle me sourit ; son sourire est comme un baume sur mon corps endolori.

Il fait jour. Quelques rayons de soleil pénètrent par de larges fentes dans le toit de palme de la paillote où j'ai dû passer une partie de la nuit. Trois lits faits de tiges de bambou et un gros sac rempli de tubercules d'igname et de taro ornent la pièce. Mon lit est étroit et plutôt inconfortable ; mais j'ai pu m'y reposer et je me sens ragaillardi malgré la douleur sourde que je ressens dans mes membres.

— Tu as bien dormi ?

Je fais signe que oui. Elle me quitte sans ajouter un mot et je m'assois au bord du lit. Je découvre alors avec stupeur que je suis habillé d'un grand pagne aux couleurs bigarrées ; je me rends compte ensuite que ma peau est fraîche, parfumée, comme si je venais de prendre un bain. Le souvenir de la soirée de la veille me revient alors en mémoire. Je me rappelle la chaleur du ventre sans vie du rat de brousse et la saveur de sa chair odorante ; puis je revois Léa, son joli corps aux formes rondes et la passion que j'avais déjà lue dans ses yeux avant qu'elle ne s'abandonne ; vient ensuite la rumeur obsédante d'un tam-tam, le souvenir d'un serpent qui surgit au milieu d'une foule, un masque aux orbites béantes, une danse endiablée... Et puis plus rien, si ce n'est le visage souriant du vieil homme, le rire enjoué de Kouakou, les douces mains de Léa et la silhouette de mon père que je n'ai pas vu depuis si longtemps et que j'aimerais pouvoir serrer contre moi.

Léa entre dans la paillote et vient s'asseoir auprès de moi. Elle prend ma main dans les siennes ; j'ai la certitude, maintenant, que ce sont ces mains-là qui ont pris la peine de me laver. C'est tout juste si je ne retrouve pas en elles le parfum nouveau qui imprègne ma peau.

— Ça va mieux ? demande-t-elle en caressant mes cheveux.

— Ça va.

Son sourire me confirme que je ne me trompe pas.

— Ne t'en fais pas, ajoute-t-elle. Cela devait arriver.

Je l'interroge du regard.

— Quand un vase perforé se met à couler, c'est qu'on y a mis de l'eau, explique-t-elle.

Elle rit. Je réalise soudain que son langage emprunte un peu à la manière du vieil homme. Elle m'embrasse furtivement et se lève pour sortir.

— Allez, viens.

Elle sourit. Cela me redonne confiance. Je la suis au-dehors.

Le soleil est déjà haut dans le ciel. Il règne dans la clairière une chaleur torride ; je m'étonne de ne l'avoir pas ressentie dans la paillote aux murs de terre.

— Je t'ai fait un peu de café.

Elle me tend une petite tasse brûlante, pleine d'un beau café noir, et me laisse un moment. Je m'assois et sirote le café tranquillement. Kouakou essaie de grimper à un gros manguier. Il est ravissant : je ne pensais pas que je pourrais si rapidement m'attacher à un enfant.

L'épouse du vieil homme vient déposer à mes pieds un seau d'eau.

— Quand tu auras lavé ton visage et tes mains, tu pourras manger un peu.

— Merci.

J'asperge mon visage, tandis qu'elle s'en retourne sur ses pas. Elle revient aussitôt avec un plat de *foutou* et une calebasse contenant un peu de sauce. J'attaque le *foutou* sans attendre, étonné de prendre plaisir à en retrouver la saveur. J'ai cependant un peu de mal à apprécier la sauce : elle me laisse en bouche un goût amer.

— C'est une sauce aux aubergines, m'apprend la cuisinière en prenant place auprès de moi.

Je mange néanmoins avec appétit ; cela semble lui faire plaisir.

— Mon mari est parti tôt ce matin pour le village. Léa et moi devons travailler encore un peu avant de le rejoindre. Si tu n'y vois pas d'inconvénient, Kouakou te raccompagnera au village après un détour par les plantations de café et de cacao. Nous nous retrouverons tous cette nuit.

Je marque mon assentiment par un signe de tête. Elle sourit et me regarde intensément, comme une mère heureuse de retrouver son enfant ; je devine alors que la promenade avec Kouakou a un autre but que celui d'admirer les plantations.

Quand j'ai fini de manger, je retourne à la paillote pour prendre mes vêtements, posés en ordre sur un des lits de bambou. Au moment où je me débarrasse de mon pagne, je sens un chaud baiser sur mon cou. J'ai à peine le temps de me retourner que Léa boit déjà goulûment à ma bouche, puis s'empare de mon sexe avec une détermination qui ne laisse aucun doute sur ses intentions.

Je proteste faiblement :

— Et si ta tante...

— Elle ne viendra pas.

Je la déshabille rapidement. Elle me guide en elle sans attendre.

— On dit que les enfants blancs sont le fruit d'amours diurnes, dit-elle d'une voix chuchotante entrecoupée de courts gémissements.

Puis, tandis qu'elle égratigne mon dos à coups de griffes :

— Cela ne te dérange pas trop ?

Je m'agrippe à ses hanches. Je n'ai plus peur aujourd'hui de la mère sacrificatrice.

— Cela ne me dérange pas.

•

Je prends la main de Kouakou et nous partons par un sentier qui semble être le prolongement de celui que nous avons suivi à partir du village pour arriver à la paillote. J'en conclus qu'il ne peut que nous éloigner du village. Je ne m'en soucie guère : je sais que je peux me fier à Kouakou pour me montrer le chemin. C'est dans ce sentier que Léa et moi nous sommes aimés ; je ne reconnais toutefois pas, en plein jour, le lieu précis de nos ébats nocturnes.

Kouakou n'est guère expansif aujourd'hui ; il me paraît plus grave qu'à l'accoutumée, comme si on lui avait confié une mission importante à laquelle il ne doit pas faillir. J'arrive pourtant à lui faire perdre un peu de son sérieux en lui posant des questions sur les jeux qui occupent ses journées. Je lui demande aussi de m'enseigner le nom de quelques plantes et de quelques oiseaux ; il paraît surpris de mon ignorance et me répond avec une joie manifeste. Je n'en reviens pas de le voir sourire si aisément ; mais le vieil homme et son épouse ne sourient pas moins que lui, et avec eux la plupart des gens de ce pays. Je songe alors qu'il n'est pas de plus beau peuple que celui qui vous donne tout, inlassablement, sans jamais rien demander en retour. Comment mon père aurait-il pu résister à tant de charme ? Sans bien le connaître, il me semble que je commence aujourd'hui à mieux le comprendre d'avoir aimé ce pays au point de vouloir y vivre le reste de ses jours. A-t-il pu cependant oublier l'échec de ses premières amours, qui a si bien gâché ma vie jusqu'à maintenant ? J'ai la certitude que non et je me surprends à l'aimer de nouveau, avec tendresse et passion.

Je me souviens à présent de cette dernière lettre qu'il m'a écrite, et dont je saisis maintenant qu'elle m'appelait à son chevet. Il y rapportait les mots d'un vieil homme de son village, à la prière desquels je sens confusément qu'il regrettait de n'avoir jamais su répondre. Peut-être même me les confiait-il pour que j'y réponde un jour pour lui : « Si jamais il te prend l'envie de raconter mon pays aux tiens, je préfère te voir réinventer mon langage, mes coutumes et mes habits, plutôt que d'échouer dans l'expression de ce qui est essentiel. Relate ce que tu veux, comme tu le peux, mais ne recule pas devant le plus difficile, qui est de rendre compte, un tant soit peu, de l'humain en chaque personne. »

J'ai le sentiment aujourd'hui que ces paroles viennent de celui-là même qui m'a accueilli chez lui, le vieil homme, qui est tellement différent de mon père et pourtant me le rappelle constamment. Peut-être cette impression me vient-elle du rôle que mon hôte a joué auprès de moi, un rôle que n'a jamais daigné prendre, malgré mes vœux, mon propre père. Je me demande pourtant s'il n'était pas un peu vaniteux de me croire constamment la victime de son départ. Il est sans doute temps de construire, à présent, en m'efforçant de transmettre ce que j'ai de meilleur en moi, comme ont tâché de le faire avec moi mes parents. Il n'est peut-être pas nécessaire de sacrifier ma liberté pour cela.

— Tu vois les petits fruits rouges sur l'arbuste ? me demande Kouakou.

— Je les vois.

— Ce sont les fruits du café.

Mon père ajoutait ensuite : « Si j'arrive un jour à te parler de ce pays, il ne faudra pas t'étonner que je ne m'embarrasse guère de te le présenter tel qu'il est. Sans doute est-il à la fois beau et laid : je ne le connais pas assez pour pouvoir en juger. Je voudrais seulement que tu saches un peu de ce que ses habitants peuvent nous apprendre, à nous qui venons d'un monde à la fois si semblable et si différent du leur. Tu me diras que c'est bien peu ; mais si j'y parvenais, j'aurais vraiment le sentiment d'avoir accompli quelque chose. »

— Tu aimes le café ? me demande encore Kouakou.

— Beaucoup.

— J'en étais sûr. Je l'ai vu à ta façon de regarder Léa quand elle t'en a offert, ce matin.

— Coquin !

Je serre sa main un peu plus fort. J'aurais presque envie de l'avoir pour fils. Je sais que ce désir d'avoir des enfants n'est pas nouveau en moi ; mais je m'y suis toujours refusé, tellement il me faisait peur. Peut-être cela changera-t-il un jour ; car je sais désormais que je ne suis pas condamné à répéter les erreurs de mon père. Je comprends maintenant que je n'ai pas à emprunter le même chemin que lui pour continuer de l'aimer, à l'égal d'un dieu, du plus profond de moi.

— Ici, ce sont des cacaoyers.

Je découvre les grosses cabosses qui contiennent les graines de cacao. Je songe un instant à ce qu'il a fallu de courage, aux gens du village qui ont été soumis à des travaux forcés, pour transporter les sacs de café et de cacao jusqu'au port le plus proche ; et combien il faut encore d'entêtement pour continuer de cultiver la terre, quand on ne retire presque rien de ces lourdes cargaisons qui s'en vont vers les pays du Nord. Pokou savait-elle toutes les difficultés qui attendaient son peuple dans son nouveau royaume ?

Les caféiers et les cacaoyers cèdent bientôt la place à des plants de manioc et à quelques bananiers. La forêt devient plus clairsemée ; peut-être les environs sont-ils habités. C'est alors que j'aperçois le grand fleuve ; il coule doucement, sans une vague et brille sous le soleil éclatant du midi. Il me vient aussitôt en tête une image, dont les traits sont si nets qu'elle me paraît presque réelle. Au terme d'un long pèlerinage, une foule atteint la rive du lac des Ashantis. Je sais que ces gens viennent là pour y mourir : un lac est en effet un œil ouvert sur le monde des ténèbres. Je songe que le grand fleuve, lui aussi, porte la marque du sacré, puisqu'il assure le lien entre les mondes visible et invisible. Comme pour me le confirmer, les descendants du peuple de Pokou m'apparaissent à leur tour. Comme l'avait fait en son temps le fils de la souveraine, ils ont choisi le grand fleuve pour leur dernier séjour ; mais cette vision est aussitôt remplacée par celle de mon père, amaigri, décharné, qui avance lentement dans les eaux du fleuve.

C'est à ce moment que je discerne la paillote qui fait face au cours d'eau. Un homme se tient debout sur le seuil, comme s'il attendait la visite de quelqu'un. Ses bras sont maigres, couverts de veinules bleues ; ses jambes sont vacillantes et son visage est osseux. Il se tourne vers moi ; je le reconnais aussitôt. C'est mon père. Il m'attend.

Chapitre XXII

Un grand fleuve d'ombre et de lumière

Voilà quelques heures à peine que nous nous sommes retrouvés et déjà je sais que mon père ne me quittera plus. Le jour commence à décliner : le soleil a revêtu la teinte orangée qu'il prend généralement au moment de plonger dans les eaux calmes du grand fleuve. Un vent frais nous assaille, plus que jamais chargé d'odeurs et de songes. On entend encore le bruit d'un pilon ; mais le rire des enfants et le chant nasillard des femmes s'éteignent peu à peu. J'aperçois une pirogue qui avance dans l'onde ; elle déplace une volée d'oiseaux blancs qui disparaissent en aval.

— C'est un grand fleuve, dit-il.

C'est un fleuve immense.

— Aide-moi, maintenant. Il est temps.

Il prend appui sur moi pour se lever ; il n'y parvient qu'à grand-peine, les jambes traversées par un léger tremblement. Je voudrais lui demander quelle est cette maladie qui le ronge ; mais il n'en sait probablement rien lui-même. Peut-être même n'est-il pas bien certain de comprendre où elle le mène.

— Donne-moi la main.

Nous marchons à pas lents vers le fleuve. J'ai peine tout à coup à retenir mes larmes : il est devenu si maigre.

— Tu comprends ? dit-il en me regardant droit dans les yeux. C'est ici que je dois finir mes jours.

Je comprends. Comme moi, il est un enfant du Nord ; mais sans l'Afrique en lui, il n'est plus rien. Je saisis tout à coup qu'il en est de même pour moi.

Nous nous arrêtons sur la grève, à deux pas d'un énorme acacia. C'est une belle plage de sable fin qui descend doucement dans les eaux du fleuve. On n'y trouve personne ; il me semble pourtant que des créatures étranges nous font le plaisir de leur présence bienveillante. Elles se cachent sous l'eau en attendant que la nuit soit venue.

— Tu ne m'as pas dit si tu veux des enfants...

Ces mots dans sa bouche, il n'y a pas si longtemps, m'auraient abasourdi ; aujourd'hui, je n'en suis pas étonné outre mesure. Je note pourtant qu'il y a un peu d'appréhension dans sa voix. Je lui souris ; il paraît rassuré.

— Pourquoi pas ?

Une petite flamme éclaire son visage.

— Rien dans ma vie, je crois, n'aura pu m'apporter autant de joie, dit-il.

Jusqu'à tout récemment, je ne voyais dans la paternité qu'un sacrifice de la liberté. Cependant il me semble à présent que ce sacrifice pourrait s'accompagner d'une ouverture sur le monde, comme si un peu de vie matérielle était alors offerte en échange d'une énergie beaucoup plus puissante, intemporelle et immortelle.

— Je regrette seulement de n'avoir pas su en profiter, poursuit-il. J'aurais aimé être plus présent : tu m'as manqué. Mais je pars en paix, puisque je sais maintenant que tu ne voudras pas répéter la même erreur.

Je le serre très fort contre moi, puis éclate en sanglots. Il pleure lui aussi, doucement, sans essayer de réprimer ses larmes. Je les regarde tracer un sillon sur sa joue décharnée, puis couler sur son cou à la peau tirée. Je cherchais mon père et c'est moi que je trouve au bout du chemin. Je n'avais pas conscience de lui ressembler autant.

Nous ne voulons pas nous séparer ; mais il me repousse délicatement.

— Déshabille-moi, maintenant.

Je commence par déboutonner sa chemise ; les poils de sa poitrine sont devenus tout blancs. Après avoir moi-même replié ses bras pour qu'ils puissent passer à travers les manches, je lui enlève sa chemise en prenant garde de lui faire mal ; je pourrais compter ses côtes.

— Tu comprends ? m'interroge-t-il. Je ne pourrais pas mourir autrement.

Je comprends. Je me penche à ses pieds pour détacher ses sandales, puis les retire en m'assurant qu'il puisse s'appuyer sur moi ; je sens que ses forces sont en train de le quitter. Je déboucle ensuite sa ceinture et lui enlève d'un même mouvement son pantalon et son sous-vêtement ; seul son sexe ne semble pas avoir trop souffert de son amaigrissement.

Je me déshabille à mon tour et l'accompagne dans l'eau. Nous entrons dans le fleuve lentement, sans rien dire. Le soleil disparaît peu à peu dans l'onde. C'est la tombée de la nuit.

Je m'assois au fond de l'eau et aide mon père à s'étendre ; il appuie sa tête sur ma poitrine et laisse flotter son corps à la surface de l'onde. Il a fermé les yeux, comme pour mieux savourer les derniers rayons de soleil qui chauffent son visage.

Je lui frotte les mains, les bras et les épaules pour le laver tranquillement de sa sueur. Je lui masse ensuite le cou. Puis je nettoie son visage, délicatement, et caresse doucement ses cheveux. Je descends enfin sur sa poitrine et enroule mes doigts dans sa toison blanche ; il ramène alors les jambes vers moi, comme pour signifier que je peux continuer jusqu'à ses pieds. Il sourit vaguement quand je m'attarde à ses orteils ; il est complètement recroquevillé sur moi. Puis il s'allonge de nouveau, la tête toujours collée sur ma poitrine.

— Où est allée la lune ? demande-t-il.

Je réponds dans un sanglot étouffé.

— Elle est morte.

Je fonds en larmes ; mais il ne pleure pas et je me calme bientôt. Je l'étreins sur mon cœur, longuement ; je sens sa chaleur qui pénètre sous ma peau.

— Je t'aime, mon fils.

— Moi aussi, papa.

— À bientôt !

Il laisse alors glisser sa tête sous les flots. Je le retiens doucement dans mes bras. Quelques secondes plus tard, son corps est secoué par de puissants tremblements qui se transforment bientôt en violents soubresauts. Je les sens vibrer jusqu'au plus profond de moi. Puis il redevient tranquille et serein.

La lune apparaît dans le ciel. Je garde longtemps mon père serré contre moi.

Des créatures étranges surgissent des flots. Je ne dois pas pleurer : je sais que mon père me rendra visite chaque nuit. Il y aura toujours à manger pour lui sur le pas de ma porte.

Québec, avril 1993 – Montpellier, mars 1995

Table